FLUA

CB060424

LOUIS BURLAMAQUI

AUTOR DE *DOMÍNIO EMOCIONAL EM UMA ERA EXPONENCIAL*
E *A ARTE DE FAZER ESCOLHAS*

FLUA

PARE DE BRIGAR COM VOCÊ E TRAGA DE VOLTA SEU ALINHAMENTO

UM GUIA DAS COMPETÊNCIAS EMOCIONAIS

3ª reimpressão

MEROPE
editora

Copyright © Louis Burlamaqui, 2018
Copyright © Editora Merope, 2018

CAPA	Desenho Editorial
PROJETO GRÁFICO E DIAGRAMAÇÃO	Desenho Editorial
COPIDESQUE	Débora Dutra Vieira
REVISÃO	Hebe Ester Lucas
	Maria Silvia Mourão Neto
COORDENAÇÃO EDITORIAL	Opus Editorial
DIREÇÃO EDITORIAL	Editora Merope

O livro Flua foi editado pela primeira vez
em 2011 pela editora Aleph.

Todos os direitos reservados.
Proibida a reprodução, no todo ou em parte,
através de quaisquer meios.

DADOS INTERNACIONAIS DE CATALOGAÇÃO NA PUBLICAÇÃO (CIP)
(CÂMARA BRASILEIRA DO LIVRO, SP, BRASIL)

Burlamaqui, Louis
Flua : pare de brigar com você e traga de volta seu alinhamento : um guia das competências emocionais / Louis Burlamaqui. -- Belo Horizonte, MG : Merope Editora, 2018.
Bibliografia.

ISBN 978-85-69729-12-9

1. Atitude - Mudança 2. Autoajuda - Técnicas 3. Autoconhecimento 4. Emoções 5. Mente e corpo 6. Relações humanas 7. Relações interpessoais 8. Sentimentos I. Título.

18-18546   CDD-158.1

Índices para catálogo sistemático:
1. Autoconhecimento : Desenvolvimento pessoal : Psicologia aplicada 158.1
Maria Paula C. Riyuzo - Bibliotecária - CRB-8/7639

MEROPE PUBLICAÇÕES E APRENDIZAGEM LTDA
Rua dos Guajajaras, 880 – sala 808
CEP: 30180-106 – Belo Horizonte/MG – Brasil
Telefone: +55 31 3222-8165
www.editoramerope.com.br

Esta obra é dedicada a Zoraídes Machado (in memoriam), aquela que serviu a todos.

PALAVRA DO AUTOR

Um amigo perguntou-me para quem eu escrevi este livro.
– Para mim mesmo – respondi. – E acredito que talvez sirva para você.

SUMÁRIO

15   O propósito deste livro
17   Os 12 pactos de uma pessoa fluida
19   Introdução

PARTE I – SERES-ÁGUA

25   Os seres-água – pessoas fluidas
26   A mitificação e a valorização do novo
27   As personalidades modeladas para o agrado
28   O coração e as relações humanas

PARTE II – AS COMPETÊNCIAS EMOCIONAIS

33   Muitas emoções, muitas confusões
35   A competência emocional esquecida
36   Os implantes sociais
39   Supressão e expressão
41   Quando a supressão é saudável
42   Soltando ou prendendo
45   As três formas de "soltar"
46   Os nove estados emocionais
50   Emoções estão em toda parte
53   Como manter ou mudar o estado emocional?
54   Emoções em início de corporificação
54   Sentimento é sentimento
56   O uso do corpo
57   Quem é você?

PARTE III – A FORÇA DOS PACTOS

67   Existem os pactos saudáveis
69   Chaves para identificar os pactos

72	Ao mexer nos pactos, eu mexo na minha natureza?
72	Como alterar os pactos depois de identificados?
74	O que fazer com os pactos saudáveis?
75	Os pactos saudáveis são para sempre? Preciso revê-los?

PARTE IV– ESTADO DE PODER

79	**Pacto 1: Saia da normose**
81	A força dos padrões
81	A aparente sutileza da manifestação dos padrões
85	Os padrões normóticos
88	A normose pode vir de um processo educacional de anos
95	Uma chave efetiva para soltar os padrões
97	**Pacto 2: Libere seus medos**
98	A diferença entre medo e situação
98	O medo como meio de superação
100	O fator respiração
101	O medo nas organizações
104	O fator franqueza
106	Os cinco grandes medos
120	**Pacto 3: Aceite que nada é seu**
121	O ter, o fazer e o ser
123	A desidentificação do estado
124	Mudando o "é" para o "está"
125	Eu tenho isso, eu não sou isso
126	Exercício do desapego
127	O fator transitório e o permanente
128	O conceito de "meu"
128	Viver com base no desapego
129	Prosperidade e abundância
130	Viva como se fosse o último dia de sua vida
130	O sofrimento como meio de visão ampliada

132	Livre-se e ajude os outros a fazerem o mesmo
132	O incômodo transitório não desaparece facilmente
135	**Pacto 4: Faça sempre o seu melhor hoje**
137	Perfeccionistas e suas perfeitas imperfeições
140	A diferença entre o essencial e o importante
144	Não seja o seu melhor para agradar alguém
146	A falsa crença do esforço e da luta
147	Seja um revisor de seu dia
148	O valor das metas
149	Viver o presente
151	Ser o seu melhor hoje é dar 100% de si
152	Ambição ética
153	O que existe entre você e suas metas?

PARTE V – ESTADO DE PAZ

159	**Pacto 5: Pare de fazer suposições**
160	O piloto automático da mente
162	O sistema da mente
165	Os três cérebros
167	A interface dos cérebros e as suposições
167	A força da imagem congelada
169	Como deixar de supor?
170	Quando os outros não querem nosso bem e isso não é suposição
173	Síndrome de Procusto
176	**Pacto 6: Não tome nada como pessoal**
177	Sentir-se maltratado é diferente de ser maltratado
177	Três padrões de comportamento reativo
180	Mudando o canal
183	Armadilhas mentais e emocionais
188	Não tomar como pessoal não significa ser passivo

189	Lutar ou fugir
191	Usando a mente para se isolar do fato
193	A hora da verdade é quando somos atacados

197	**Pacto 7: Seja impecável com as palavras**
198	A força da palavra
199	Intenção e confiança
203	Os três crivos
204	A palavra como promessa
205	Cuidado com o criticismo
206	Afaste-se da mentira
207	Empoderando as pessoas por meio da palavra

212	**Pacto 8: Aprenda com o outro – aquilo que o incomoda muito no outro também está em você**
213	A realidade como espelho
214	Pare de falar mal das pessoas
215	Perdoar sempre
218	Quando não aprendemos, o padrão se repete
220	O significado da irritação
220	O modelo de ressonância emocional
225	O que significa respirar na dor?

PARTE VI – ESTADO DE ALINHAMENTO

231	**Pacto 9: Pensamento, sentimento e emoção, alinhados com a consciência, criam realidades**
232	Emoção não é sentimento
233	A conexão com o coração
233	A mente do coração
234	O poder da mente
235	Quem influencia a mente?
239	Foco: a força da mente

239	Mente limpa
241	A força da intenção consciente
242	A mente alinhada
243	A mente maior
244	Outras formas de criar pela mente
245	O pensamento superior ativado
246	Uma mente superior como chave para a liderança
250	**Pacto 10: Veja além – tudo tem mais do que dois aspectos**
251	O fator polaridade
252	Vivemos na polaridade
253	A xícara pela metade – a metáfora da vida
255	Sua sombra e sua luz
256	A mentalidade da criança
257	Aspectos da personalidade manifestam-se por polaridades
260	Da dualidade à trialidade
261	A força do círculo para sair da ilusão da dualidade
262	Enxergando além, na compaixão
264	Estados de mudança para um melhor alinhamento do self
265	O princípio da complementaridade
265	O princípio da incerteza
266	O amor amplia tudo
270	**Pacto 11: Viva para um propósito maior do que o seu**
272	Escolha e aja
274	Libertando-se do egoísmo
275	Nós somos o propósito de quem?
276	Existência maior, Deus
278	A força da paixão como motor de algo maior
280	Você pode fazer qualquer coisa
282	As três intenções profundas dos seres humanos

285	**Pacto 12: Entenda tudo como um campo de energia e frequência; assim agirá na origem**
286	O que está entre
287	Tudo é um reflexo
289	Os quatro níveis de consciência
290	Corpos de energia
292	Campos interagem entre si
293	A ilusão da separação
293	A energia das emoções
295	O mundo quântico
299	A importância de manter seu campo de energia limpo
300	Os quatro elementos como fonte de limpeza e vida
302	Alinhe-se com as sete direções

PARTE VII – FLUIDEZ PARA SUA SAÚDE

309	Ânsia de viver e ânsia de morrer
310	Os alimentos em nossos corpos
311	O que você deveria saber sobre a água
313	Bibliografia recomendada
316	Créditos das ilustrações
317	Agradecimentos
319	Tenha uma experiência com Louis Burlamaqui

O PROPÓSITO DESTE LIVRO

Este livro foi escrito essencialmente com base em minhas experiências pessoais, fortemente influenciadas por autores, pensadores e mestres, pelas leis da natureza, do universo e pelo *campo*.

Acredito que meu trabalho consistiu em traduzir para uma linguagem simples, direta e de fácil assimilação coisas de que me lembro e relembro. Práticas que têm sido usadas pelas pessoas de forma inconsciente são apresentadas neste livro de modo a possibilitar seu uso de maneira mais lúcida.

Aliás, estas páginas não foram escritas para sustentar teorias robustas e engenhosas que alimentem o intelecto. Trata-se de um livro totalmente voltado para a ação. No mundo em que vivemos, o pensar é presente e notório. No entanto, no novo tempo que surge, convido o leitor a ir um pouco mais para o coração. Entramos em ação mais facilmente quando compreendemos o que temos de fazer por meio da conexão do coração com a mente. Essa é a essência desta obra.

A linguagem e a forma deste livro vão permitir ao leitor compreender algumas coisas que ele pode fazer em sua vida.

Somente você pode fazer alguma coisa. Ninguém mais pode. Cada indivíduo veio só ao mundo e assim retornará: só – embora tenhamos uma legião de ajuda e amparo à nossa volta, desde que nascemos até o momento da passagem. Portanto, é sua responsabilidade aproveitar a vida que recebeu, dignificá-la, entendê-la e significá-la.

Após ler cada passagem, leve-a para o seu coração e deixe que ele decida se isso toca você, se lhe é útil ou não. Talvez este livro todo não lhe seja necessário neste momento da sua vida. Talvez você precise apenas de um trecho, de um pacto, de uma palavra, mas recomendo que leve tudo que for significativo para o seu coração e transforme isso em uma intenção.

Não adianta querermos mexer no que está fora de nosso alcance se não mexermos no que está diante de nós. E o que está ao seu alcance mais próximo? Você, seu corpo, sua mente, seus sentimentos e suas emoções.

Sugiro que leia cada trecho, pare, reflita e só então leia o próximo. Isso lhe dará condições para agir com consistência. Após cada capítulo, faça o que tiver de fazer!

Isso é tudo o que é. Assim seja.

Louis

OS 12 PACTOS DE UMA PESSOA FLUIDA

O que é "noético"?

As palavras "noese" e "noético" são derivadas do grego *nous*, que significa *mente*, inteligência ou formas intuitivas de conhecimento. As ciências noéticas compreendem um estudo interdisciplinar da mente, da consciência e de diversos modos de conhecimento, com foco especial nos campos da ciência, saúde mente-corpo, psicologia (transpessoal, integral e tradicional), artes, ciências da cura (terapias holísticas), ciências sociais e espiritualidade.

> *Somos exploradores, e a mais excitante fronteira dos nossos tempos é a consciência humana. Nossa busca é a integração de ciência e espiritualidade, uma visão que nos faz lembrar de nossa conexão com o "eu interior", com os outros e com a Terra.*
>
> *Marciniak*

INTRODUÇÃO

Integração noética

EU e o UNIVERSO

Estado de alinhamento

9. Pensamento, sentimento e emoção, alinhados com a consciência, criam realidades
10. Veja além: tudo tem mais do que dois aspectos
11. Viva para um propósito maior do que o seu
12. Entenda tudo como um campo de energia e frequência; assim agirá na origem

EU e EU

Ampliação da Consciência

1. Saia da normose
2. Libere seus medos
3. Aceite que nada é seu
4. Faça sempre o seu melhor hoje

EU e o OUTRO

Integração consciente

5. Não faça suposições
6. Não tome nada como pessoal
7. Seja impecável com as palavras
8. Aprenda com o outro — Aquilo que o incomoda muito no outro também está em você

Certa vez, uma pessoa perguntou a um pajé e xamã americano de 101 anos:

– O que você faz?

– Ensino meu povo.

– O que você ensina?

– Quatro coisas: primeiro, a escutar; segundo, que tudo está interligado; terceiro, que tudo está em transformação; quarto, que a Terra não é nossa, nós é que somos a Terra.

Vivemos uma época de transição jamais vista na história da humanidade. Uma nova qualidade de energia está no ar. Uma nova vibração. Um novo padrão energético envolve a Terra e seus seres. Essa energia ou luz afeta os seres, e as criações são manifestadas em todos os terrenos. Da internet à biologia, nada pode ser como era antes. Os modelos anteriores já não nos servem mais. Quando muda o fluxo vital, tudo se modifica. As consciências são alteradas e, como consequência disso, alteram-se as referências, os instrumentos. O que antes era considerado inimaginável e impossível passa a ser admitido. Você verá isso todos os dias em forma de novas notícias.

Os paradigmas, as verdades e os postulados estão sendo e continuarão a ser quebrados, destruídos, para o avanço da sociedade e das relações em todos os aspectos. Estamos assistindo ao fim de um mundo, à decadência de um modelo reinante, pois vivemos há centenas de anos sob a frequência do controle e do medo. Basta que cada um olhe sua vida hoje para perceber o quanto isso faz parte dela ou está ao seu redor.

Tudo o que temos recebido nos últimos tempos, como facilidade de comunicação e de acesso à informação, ou melhorias na saúde e nas condições de vida, dentre outras conquistas, constitui simplesmente o início de um fluxo ininterrupto de resgate do poder do ser humano.

Barreiras vão cair, povos vão encontrar novas formas de convívio e relacionamento, nossa relação com a natureza passará por transformações profundas e significativas, sentiremos um misto de temor e liberdade vindo do íntimo do nosso ser.

Novos modelos de Estado, de poder e de tomada de decisões surgirão. Esse novo mundo será regido por novas leis, novas relações, novos entendimentos, novos sistemas. Teremos novos modos de nos relacionar com alimentos, diversão, arte, trabalho e cultura. A economia não será mais a mesma. As formas de comércio sofrerão transformações abruptas e profundas, de maneira sequencial.

A transição para um mundo novo nunca é simples e fácil. No entanto, ela se dará, independentemente de nossa vontade, com amor e verdade. É como uma casa em reforma, com os moradores dentro dela. A sensação será de desconforto, de que tudo está perdendo o sentido e de que o chão está caindo, mas as coisas precisarão ser colocadas para fora, de modo que possa ser visto o que foi guardado. A sensação de desordem e bagunça reinará. Nossas sombras virão à tona; o que há de pior em nós se manifestará para que transcenda. Novos pisos serão colocados, poeira será levantada e, no fim, tudo tomará uma nova forma e ordem. Até porque, quando a casa está indo para o chão, o projeto da nova morada já foi desenhado e estabelecido.

Assim, suceder-se-ão os eventos que principiam um mundo novo. Se alguém olhar para as notícias, verá que tudo isso vem acontecendo gradativamente: a revolução tecnológica e biológica, a reorganização da crosta terrestre, evidenciada por terremotos e ativações vulcânicas; as revoluções das organizações, através da discussão do lucro e das sociedades sustentáveis, buscando uma sintonização maior com a energia universal; um novo modelo de finanças, um novo modelo político; as descobertas e os avanços da física, da química; a mudança na expectativa de vida do ser humano, os avanços da medicina preventiva; a internet como mecanismo da gratuidade e da inter-relação mundial; as crianças índigo, as cristais, as arco-íris e outras mais, revelando um novo padrão vibracional e de inteligência. Crianças com conhecimento e habilidades adquiridas em um curto espaço de tempo. A formação de uma nova consciência coletiva. As novas cidades e modelos de convívio social sem o dinheiro. Todas essas e muitas outras mudanças configuram-se como apenas o princípio, as primeiras páginas de um livro que ainda está por ser escrito pela humanidade.

Eu poderia listar outras inúmeras evidências, meu caro leitor, mas, em poucos anos, você estará rindo do que escrevi. Por isso, recomendo que olhe sob a óptica de um tempo linear e verá tudo isso que estou lhe dizendo e muito mais. Não será tarefa fácil, para alguns, lidar com esses eventos.

Promover mudanças será primordial para que todos possam lidar com esse novo mundo e adaptar-se a ele. Para isso, é necessário fluidez. É preciso abandonar determinadas verdades ou crenças a fim de podermos ser livres; deixar padrões antigos para trás; e fluir com o movimento natural das mudanças.

Quanto mais livres nos tornarmos do que achamos que somos, de nossos medos, de nossas angústias, mais fluidos ficaremos; mais fácil será viver o fluxo da mudança, mais simples ficará surfar nas ondas do mundo. Para muitos, os próximos tempos serão um bálsamo de prazer e descobertas. Nada será negado a absolutamente ninguém. Tudo estará ao alcance de todos. Basta cada um querer e agir.

Neste livro, refiro-me à "fluidez" como um termo que traduz uma pessoa livre e adaptável, capaz de ser ela mesma, de resgatar sua essência, de se limpar, se manifestar e se transformar, sem medo, sem preconceitos. Alguém capaz de manter um corpo mental, emocional e físico livre e limpo; capaz de deixar ir o que não é, mantendo apenas o que é.

PARTE I

Seres-Água

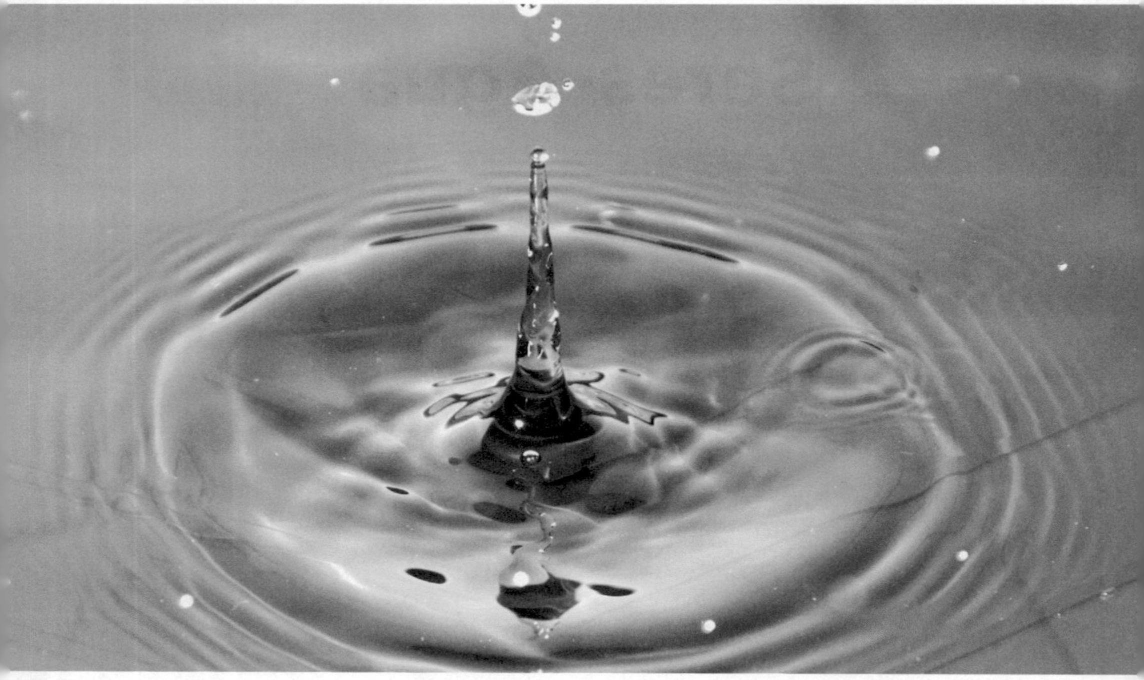

OS SERES-ÁGUA – PESSOAS FLUIDAS

A água, que é fluida, é a essência da vida humana. Fomos feitos do oceano, das energias das moléculas de oxigênio e hidrogênio. Nosso corpo é basicamente composto de água (cerca de 90%). O dr. Masaru Emoto comprovou exaustivamente as propriedades, os movimentos da água e como somos constituídos praticamente dela. Portanto, temos a essência para a fluidez. Costumo dizer que é como se fôssemos seres de água.

A água molda tudo, vence tudo por sua determinação e sua constância. É capaz de evaporar, bem como de voltar na forma de chuva. Assim são os seres-água, capazes de soltar conceitos, de se manifestar em outros modelos, de se adaptar aos novos padrões, de quebrá-los quando necessário, de retornar e determinar-se a vencer obstáculos... E de começar tudo de novo, de forma fluida.

A fluidez nos torna conectados a tudo à nossa volta e ajuda-nos a integrar ambientes. Nosso propósito neste mundo é integrar polaridades. É trazer a unidade a este plano e à vida. Seres-água, seres fluidos saberão fazer isso. Quero lembrá-los de que os termos "seres-água" ou "fluidez" não devem ser vistos nem tratados como modismo ou como um fabuloso e revolucionário método de transformação pessoal. Trata-se apenas de uma terminologia usada para facilitar o seu encontro com você mesmo. Apenas isso. Existem muitas palavras que poderiam ser utilizadas com propósito idêntico. O mesmo vale para a palavra "pacto", que você verá adiante. São termos considerados mais apropriados. Nada além disso.

A MITIFICAÇÃO E A VALORIZAÇÃO DO NOVO

É importante entender que não estamos aprendendo nada de novo neste mundo, apenas relembrando. Acredite, você sabe muito. Muito mais do que imagina. O que está em suas memórias vai além do que sua mente pode imaginar. É pela reconexão com tudo o que é essência, e que sabemos ser verdadeiro, que vêm a liberdade e a paz.

Novas áreas do cérebro estão sendo ativadas em todo o planeta, das mais diversas formas, para atingir todo tipo de ser que queira se tornar livre e fluido.

É natural encontrarmos pessoas que, ao se reconectarem com elas mesmas, sejam tomadas por um misto de entusiasmo e euforia, ficando aceleradas e incendiadas, mas ainda assim a mente do ego pode estar no comando de forma subliminar.

Por essa razão, recomendo que o leitor tenha discernimento em relação aos falsos mestres e gurus, que adoram dizer que têm algo novo e moderno, criando rótulos por meio de uma escravização terminológica mental. Quando estamos em um período de resgate e ascensão, como o nosso, não existe o moderno; existe o que "é", o que "sempre foi" e que não acessávamos antes. Em nossa atual condição de cegueira, pode até parecer uma novidade, mas de novo não existe nada.

Não existe ninguém melhor do que ninguém na condição em que nos encontramos. É como se nossa visão estivesse blindada, com alguns enxergando um pouquinho mais, com uma conexão mais fina. Isso, no entanto, não coloca ninguém em condição melhor, pois somos todos um. Uma coletividade caminhando junta. De fato, você vai descobrir, mais cedo ou mais tarde, que seu mestre é você.

Estamos a caminho de um mundo uno, de interdependência, onde acabarão as adorações e as beatificações. Descobriremos a maestria que existe em nós. A dependência cessará nesse nível. Não existe, portanto, nada de novo, assim como tudo que está neste livro.

Dessa forma, tudo deve fluir.

AS PERSONALIDADES MODELADAS PARA O AGRADO

É muito comum, no modelo de sociedade em que vivemos, assumir que precisamos ser isto ou aquilo para nos tornar aceitos. A necessidade de ser aceito não nos faz fluidos no entendimento deste livro, mas nos leva a maquiar aspectos da personalidade para que consigamos nos inserir em determinado contexto ou grupo de pessoas. Ser agradável naturalmente é diferente de ter um comportamento projetado para o agrado.

Enquanto precisarmos de subterfúgios da personalidade para parecermos bons nas relações humanas, tornamo-nos fragmentadamente uma personalidade modelada ao agrado. Isso nos afasta de quem realmente somos, fazendo-nos infelizes. Perdemos o foco, o rumo exato da vida e de nosso propósito. A mente revela-se nosso único instrumento de trabalho e passa a nos escravizar com avalanches de pensamentos. A mente adora pensar. O excesso do pensar nos desconecta de imediato do coração. Assim, muita gente passa a viver a terrível tirania de se preocupar com o que os outros estão pensando.

O CORAÇÃO E AS RELAÇÕES HUMANAS

Alguns princípios são essenciais para a construção das relações, mas transformar princípios em regras de adaptação da pessoa, com objetivos de aceitação, priva-nos de toda e qualquer autenticidade. Esse é o aspecto particular que as pessoas precisam entender quando se inscrevem em programas de relações interpessoais. Esses programas deveriam ajudar o sujeito a primeiro se entender e, depois, ensiná-lo a se colocar no lugar do outro para desenvolver empatia, compaixão, amorosidade e cooperação.

Ao leitor, uma dica: evite moldes e esteja atento para que o ego não seja seu molde, a ponto de impedir que você experimente novas situações que lhe revelem algo.

As experiências são poderosos instrumentos de ampliação de percepções, sejam elas positivas ou não. Portanto, experienciar é a chave. Estamos em um mundo onde tudo é experiência. Acordamos com experiências, temos um dia inteirinho delas e dormimos com elas. Experimentar, experienciar é viver. Somente trazendo experiências relevantes para a sua vida é que você acordará de seu sono profundo e resgatará sua fluidez.

Pessoas fluidas não têm receio de sair de sua zona de conforto. Pessoas fluidas não têm medo de ser quem querem ser simplesmente porque reconhecem quem são. Pessoas fluidas vivem e não se culpam.

Pare de se culpar pelas coisas que fez ou deixou de fazer. A culpa é uma das emoções mais estagnantes que existem. Ela consome o indivíduo. Livre-se, portanto, dela. Perdoe-se por tudo que fez, se for realmente necessário. Você teve experiências; o julgamento de bom ou ruim é seu.

Aprenda com as experiências; não gaste seu tempo culpando-se pelo que fez ou deixou de fazer. Flua.

Aqui destaco algumas percepções comportamentais de um ser fluido. Seres fluidos são:

- eles mesmos diante de qualquer situação;
- capazes de aceitar seus medos;
- capazes de manifestar suas raivas sem agredir os outros;
- libertadores de suas emoções, sejam elas quais forem;
- autênticos; não se ligam ao modismo social;
- éticos; não abrem mão de seus valores morais;
- íntegros; agem como falam;
- honestos com eles mesmos e com os outros;
- incapazes de prejudicar pessoas, outros seres e ambientes;
- respeitosos com o Universo;
- capazes de ouvir, sentir e aprender muito rapidamente;
- ouvintes de seu coração;
- conectados com aquilo que o corpo fala;
- pessoas interessadas e interessantes;
- ancorados;
- centrados;
- livres de conceitos e preconceitos;
- altruístas;
- o que são;
- destruidores de sistemas de crenças inúteis;
- indivíduos que se refazem por completo em todos os aspectos de seu ser;
- pessoas que vivem de forma integral.

A fluidez leva você ao caminho. Este livro intenciona trazer-lhe chaves para a fluidez. Com ela, você saberá o caminho.

Saia do trilho e assuma a sua trilha.

PARTE II
───────
As competências emocionais

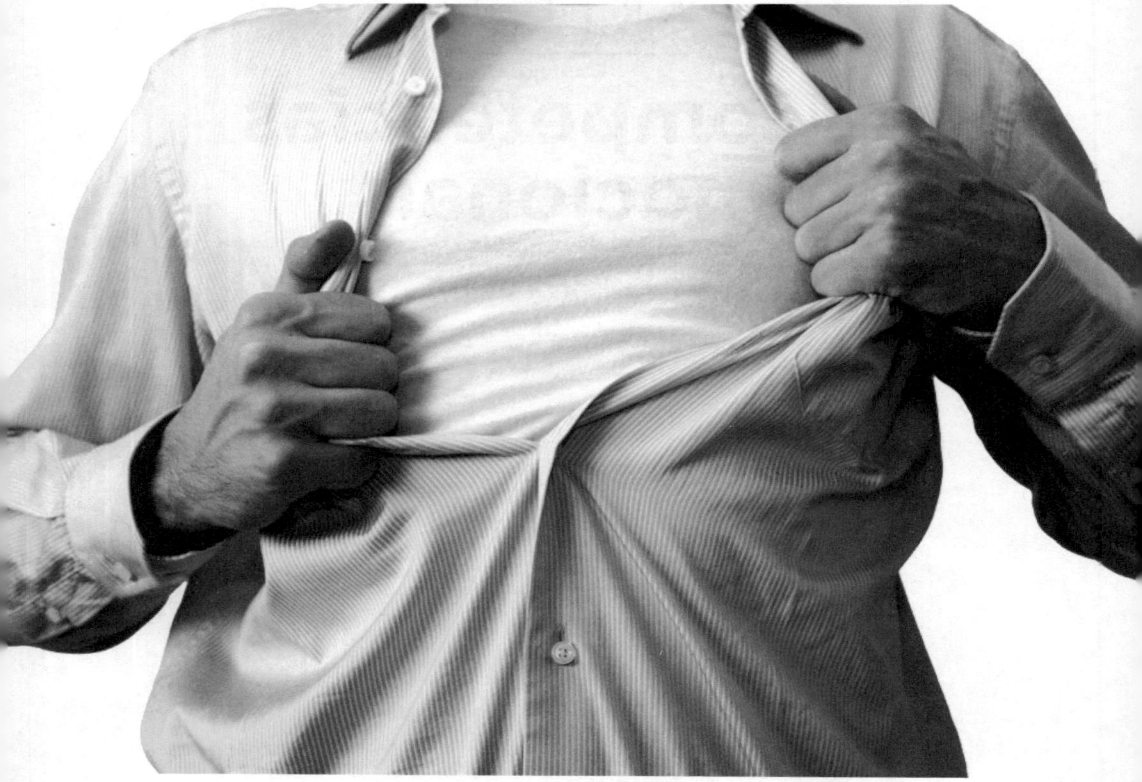

MUITAS EMOÇÕES, MUITAS CONFUSÕES

Quando falamos em competências, podemos entender que a questão se refere à condição que alguém possui de fazer algo em um nível aceitável. Portanto, no entendimento deste livro, competência relaciona-se à capacidade de o sujeito realizar alguma coisa. A esse respeito, Susan Ennis, do Bank Boston, certa vez relatou a Daniel Goleman: "O que se destacava não era sua capacidade intelectual, pois quase todos nessa companhia têm praticamente o mesmo grau de inteligência, mas sim a sua competência emocional. É sua capacidade de ouvir, de influenciar e de colaborar que faz com que as pessoas fiquem motivadas e trabalhando bem em conjunto".

A competência emocional também pode ser entendida como a soma de conhecimentos e habilidades que permitem a uma pessoa lidar com as próprias emoções e com as dos outros, bem como saber como e quando expressar as emoções. Esses conhecimentos e habilidades melhoram as percepções da pessoa, tornando-a capaz de:

- desenvolver o seu poder pessoal e determinar a sua qualidade de vida;
- manter posicionamentos com discernimento, respeito, congruência e responsabilidade;
- estabelecer uma comunicação com outras pessoas, adotando critérios por meio dos quais saiba alinhar palavras, tom, velocidade e postura corporal;
- exercer o poder da sua presença ao invés de omitir-se;

- expressar reconhecimento, gratidão, aceitação e consideração sem dúvidas, confusões, defesas ou resistências;
- dizer a verdade com base em fatos, e não em interpretações e suposições;
- falar o que pensa e o que sente sem julgamentos, críticas ou justificativas;
- manter inabaláveis a sua autenticidade e o seu poder de criatividade;
- sustentar o foco em seus sonhos e objetivos;
- agir com confiança e sabedoria, sem se abalar pelas incertezas ou por situações desconhecidas, por exemplo;
- lidar com os próprios medos e apegos.

A palavra "emoção" será muito mencionada nos próximos tempos, e precisamos entender a diferença entre alguns termos que, volta e meia, nos levam a misturar conceitos.

Existe uma diferença razoável entre sensação, sentimento e emoção. Sensação tem relação com algo físico. Por exemplo: imagine, caro leitor, que eu pegue o seu braço e lhe dê um beliscão. Qual sensação você terá? Dor física. Dessa forma, compreende-se que sensação é algo físico. Se pararmos para observar, nós temos sensações todo o tempo. Sentimento é outra coisa. Vamos tomar o mesmo exemplo acima: resolvi beliscar-lhe o braço, você teve a sensação de dor e, em seguida, ficou com raiva. A raiva é o estado em que você se encontra. Isso é um sentimento, ou seja, você foi tomado pelo sentimento de raiva. Já a emoção é outra parte desse conjunto. Ainda fazendo uso do mesmo exemplo anterior, você foi beliscado, teve dor, sentiu raiva e me devolveu o beliscão, atingindo meu braço. O que determinou sua ação de me beliscar? O sentimento que teve. Emoção é o sentimento em ação, ou seja, quando movimentamos, por meio de nossas atitudes, qualquer sentimento que temos, isso é emoção.

Certamente que a maneira como interpretamos os fatos influencia o modo como sentimos e agimos. Ainda explorando o exemplo acima, imagine que eu lhe diga que o beliscão que vou dar vai lhe proporcionar uma ótima oportunidade de exercitar o autocontrole e o entendimento de como reage. Pode ser que, ao lhe dar o beliscão, você entenda o ato em si como algo bom e positivo. Sendo assim, você me oferece um sorriso e agradece. Veja como tudo mudou. Você teve um sentimento de aprendizado e gratidão; assim, sua atitude foi diferente.

Quantos de nós temos a capacidade de traduzir as situações da vida e as atitudes das pessoas de maneira que não compliquemos mais as coisas? Não fomos programados nem preparados para lidar com as emoções, mas responder impulsivamente é um comportamento notadamente comum.

- Competência = Capacidade
- Sensação = Físico
- Sentimento = Estado
- Emoção = Ação

Competência emocional é a capacidade de usar as emoções positivamente com pessoas e situações, resultando em um desempenho saudável.

A COMPETÊNCIA EMOCIONAL ESQUECIDA

Certa ocasião, estava brincando com o filho de um amigo. O menino tinha em torno dos seus quatro anos. Repetidas vezes ele corria, tropeçava, caía e chorava. Um choro triste e pesaroso. Lá estava eu de volta, dando atenção e socorrendo a criança, quando notei que ele permanecia fazendo isso porque se encontrava sob meus cuidados. Então, resolvi não dar atenção. Ele passou por mim, caiu, começou a chorar e eu continuei a ler uma revista, não dando a menor importância para ele. De rabo de olho, vi que ele sentiu que não foi observado, então recolheu as lágrimas, levantou e saiu. Dali a pouco, ele caiu de novo e, mais uma vez, não dei a menor importância. As lágrimas dele desapareceram imediatamente quando percebeu que não foi notado, e o garoto foi tomado pela raiva. Dirigiu-se a mim e disse: "Eu te odeio, nunca mais quero brincar com você". Eu respondi: "O.k.". Passados 20 minutos, estávamos eu e ele chorando de rir em outra brincadeira como se nada tivesse acontecido antes.

O leitor já notou a incrível capacidade que as crianças têm de migrar de um estado emocional para outro? Por que isso é possível? A natural habilidade de viver e soltar as emoções dá uma liberdade de viver para as crianças que muitos de nós não temos mais. Nós, adultos, nos prendemos a fatos e emoções que viram, às vezes, um cárcere de vida. As crianças têm uma capacidade natural para lidar com seus sentimentos, mas, ao longo dos anos, a inabilidade dos pais e os condicionamentos da sociedade levam as crianças a receberem ideias que as travam durante uma boa parte de suas vidas.

OS IMPLANTES SOCIAIS

Ao longo de nossas vidas, fomos perdendo as habilidades naturais para lidar com o que sentimos. Essas perdas ocorreram em razão de muitas falsas verdades que nos foram ditas e que nós assumimos como verdades plenas. Eu costumo chamar isso de implantes. Nós recebemos implantes em toda a nossa infância, e isso não parou até hoje. É claro que, depois de uma determinada idade, fazemos escolhas do que queremos como implante ou não, mas, na infância, não temos a consciência necessária para lidar com isso, então tudo passa a ser uma verdade absoluta.

Quando dizemos que meninos não choram, que meninas devem ser boazinhas etc., estamos implantando nossos modelos mentais e sociais em uma criança. Quando alguém perde a paciência e fala para uma criança nervosa: "Já chega! Pode parar de chorar porque já chorou muito!", simplesmente está dizendo a ela: "Você não pode sentir e expressar porque não está mais legal!". A criança, nesse momento, entra em um enorme conflito porque ela precisa passar externamente uma coisa que não está sentindo, ou seja, precisa fingir ou reprimir-se. No momento em que ela começa a fingir ou reprimir-se, entra em conflito consigo. Essa é a razão por que tantas pessoas brigam, na verdade, com elas mesmas. Elas se perderam de si próprias. Desconectaram-se do que sentem e passaram a viver uma vida de mentira.

Existe uma brincadeira em que colocamos crianças andando em volta de um círculo com cadeiras e música. Sempre há uma cadeira a menos em relação ao número de crianças. A brincadeira segue assim: quando a música para, as crianças correm para sentar em uma cadeira, só que uma delas fica de fora. A brincadeira continua até que uma criança vença o jogo. Que mensagem fica para as outras crianças que perderam? "Todos nós nos ferramos para ela dar certo"! Esse é o implante social que vamos colocando nas interpretações subliminares de brincadeiras, conselhos e situações da vida. Se temos hoje tantas pessoas "excessivamente" competitivas, revisitemos as origens de suas crenças: estão em implantes de competição e perda.

Existem três implantes básicos que envolvem todos os outros microimplantes, explicitados a seguir.

1. Fomos programados para reagir, não para sentir e expressar.
2. Fomos programados para chantagear e obter vantagens.
3. Fomos programados para lutar e brigar na vida.

Enquanto não reconhecermos que nossos pensamentos e nossas atitudes são influenciados ou guiados de forma sutil por esses implantes, a vida não vai fluir. As conquistas serão baseadas em dor, sofrimento, luta, batalha e guerra. Lembro-me de um homem que batalhou com sofrimento a vida inteira e, quando tinha todo o dinheiro que queria, sofreu um AVC e ficou paralisado o resto da vida. Ter metas, buscar realizações faz parte da vida e é um movimento nobre; agora, a pergunta é esta: de que forma? Até então, o ser humano ainda não aprendeu a fluir, mas a lutar.

Outros implantes se dão por traumas. Os traumas podem surgir desde a concepção de uma criança, passando pela vida uterina até a infância e a adolescência. Os traumas surgem pela dor da experiência e pelo tratamento que recebemos, distanciando-nos do que verdadeiramente somos.

Quando dizemos a uma criança "Não chegue perto da piscina porque Deus vai ficar bravo com você" (argumentos como esse são comuns em pais com baixa competência emocional) ou "Não mexa mais na prateleira, pois você é um estabanado", simplesmente criamos condições para um trauma. Trata-se de uma verdade dita por alguém que tem representatividade e referência, mas que não condiz com a verdade daquele ser que está experimentando o mundo ao seu modo.

Esses traumas criam implantes pela interpretação de quem recebe. O recebedor admite o que foi dito como verdade e, a partir disso, cria um arsenal de sistemas de defesa para se manter na "suposta" verdade. Essa "suposta" verdade é uma fábrica de emoções. Assim, o leitor pode imaginar quantas coisas temos para limpar ao longo de nossas vidas!

Leonard Orr, notável terapeuta, classificou os dez maiores traumas humanos, enumerados nos itens seguintes:

- Traumas de nascimento
- Traumas de desaprovação parental
- Crenças assumidas (lei pessoal)

- Ânsia inconsciente de morte
- Memória de vidas passadas
- Traumas escolares
- Traumas religiosos
- Senilidade
- Supressão do feminino
- Síndrome de salvador do mundo

Cada pessoa que convive com uma criança de até dois anos faz de tudo para que ela "ande e fale". Depois, pelos próximos 18 anos, todo mundo quer que ela "se sente e cale".

SUPRESSÃO E EXPRESSÃO

Quando nós sentimos algo, o que devemos fazer? Exatamente o que as crianças fazem: expressar.

- Sentiu tristeza: chore.
- Sentiu raiva: grite.
- Sentiu medo: entre nele.
- Sentiu alegria: ria.
- Sentiu amor: doe-se.
- Sentiu coragem: aventure-se.

A chave da liberdade é a expressão. Sentimento é energia. Quando sentimos algo, criamos um campo de energia que se manifesta no corpo. Esse campo de energia, se não é movimentado, vai com o tempo se "corporificando", ou seja, se densificando. À medida que um sentimento, o qual está sempre atrelado a uma memória ou conteúdo, vai se repetindo, mais energia concentrada vai se acumulando em uma determinada área do corpo. Quando o corpo, com sua inteligência própria, determina que aquela energia emocional acumulada não deve mais continuar ali, a expulsão é a consequência natural. Sabe como se chama a expulsão de energias corporificadas por uma não identificação do seu sistema? Doença.

Boa parte das doenças é criada por não expressarmos nossos sentimentos desagradáveis. Quando alguém fica triste, é muito comum pessoas à sua volta se ocuparem e se incomodarem com isso. Essa é a razão pela qual muitos se aproximam e querem amparar ou mesmo tirar a pessoa da tristeza. Não é dessa forma que afastamos o sujeito desse estado de melancolia e abatimento; muito pelo contrário. Quando decidimos não sentir mais tristeza e tomamos um sentimento de alegria como substituto, simplesmente aquelas energias corporificadas continuam no corpo: elas não saem com a simples troca. Ao nos permitirmos sentir a tristeza e chorar, simplesmente damos um banho completo naquilo que está agarrado em nós.

Não será fugindo do sentimento que nos veremos livre dele; apenas entrando nele é que o atravessaremos. Precisamos reprogramar nossa inteligência emocional para entrar em todos os sentimentos que entendemos ser "desagradáveis" a fim de podermos ter uma vida de liberdade emocional, e não de fingimento emocional. Por isso, leitor, uma dica: sentiu? Expresse!

O grande problema das pessoas é a vergonha de expressar o que sentem. Claro que essa vergonha é um implante que as leva a pensar: "O que os outros vão achar de mim?". A pergunta que lhe deixo, caro leitor, é a seguinte: o que seu corpo vai pensar de você?

Expressar sentimentos é limpar-se, é dar a liberdade que sua vida merece, é tornar-se o mestre emocional que habita em você.

Quando levamos crianças a não manifestarem o que sentem, estamos suprimindo sua capacidade de ser. A supressão, que é não podermos expressar o que sentimos, é uma das bases dos problemas emocionais, das confusões sentimentais que as pessoas têm. Essa, normalmente, é a razão pela qual muita gente diz:

"Estou confusa";
"Não sei o que estou sentindo, se é amor ou ódio";
"Estou cheio de sentimentos, mas não sei lhe dizer o que sinto mesmo";
"Estou com um aperto no coração".

Quando somos suprimidos, perdemos a capacidade de traduzir nossas emoções e de lidar com elas por aquilo que estão nos informando. O que ocorre ao longo da vida é que as pessoas passam a suprimir por elas mesmas suas emoções. Por isso, é muito comum encontrar indivíduos que têm aversão a qualquer trabalho de autoconhecimento. Muitos morrem de medo do que vão encontrar dentro deles mesmos. O grande medo, na verdade, é o sujeito não saber lidar com o que encontrará. E posso afirmar que boa parte das pessoas não saberá mesmo o que fazer com o que descobrir em seu interior. Por isso, constata-se um número crescente de cursos, imersões e profissionais se doando para ensinar formas de limpar esses lixos emocionais e capacitar as pessoas a fazerem isso por sua própria conta.

Se pararmos para pensar, não será difícil aprendermos a melhor maneira de lidar com isso, simplesmente porque já fomos crianças e tínhamos a maestria. Precisamos apenas nos recordar para fazermos a limpeza desses implantes não saudáveis.

QUANDO A SUPRESSÃO É SAUDÁVEL

Por outro lado, não existe nada de errado em disciplinar crianças. As crianças precisam de bases para a vida e de orientação para se protegerem de algum perigo. Esse é um papel dos adultos que, quando têm consciência do que fazem, não criam implantes nocivos. Ao dizermos para uma criança "O.k., eu entendo que está com raiva, mas aqui não é o lugar de gritar, vamos lá para fora!", estaremos ensinando essa mesma criança a se manifestar de forma que não agrida os outros nem o ambiente. Suprimir, nesse aspecto, é saudável.

A supressão, quando aprendida corretamente na infância, pode ser muito útil em uma vida profissional. Nas empresas e no trabalho, encontramos muitas situações desagradáveis que nos geram emoções. Muitas vezes, não cabe colocar a emoção para fora em uma reunião ou direcioná-la a outro profissional. Essa é a hora de guardar para expressar "depois".

Há momentos em que suprimir é melhor do que expressar. Aprender a suprimir a emoção é uma habilidade crítica para o sucesso, mas é importante lembrarmos que, depois isso, precisará sair.

SOLTANDO OU PRENDENDO

Há um preconceito enraizado contra a livre expressão das emoções na cultura ocidental. Quem demonstra angústia, raiva, alegria excessiva ou medo, tanto no trabalho como na vida pessoal, é considerado passional, irracional, frágil e despreparado para enfrentar a realidade da vida. Muitas vezes o sujeito passa por alguém que não aprendeu a domar os seus sentimentos e a desenvolver aquilo que nos diferencia dos animais: a racionalidade.

Não se trata de adestrar o comportamento e suprimir os impulsos para atingir objetivos, mas de identificar (e aceitar) a manifestação das emoções mais primárias, inclusive as desconfortáveis.

Pesquisas recentes comprovam a importância do reconhecimento e da expressão das emoções – até as negativas. Um levantamento da Harvard Medical School, dos Estados Unidos, concluiu que quem reprime frustrações tem três vezes mais chances de se tornar vulnerável no trabalho. "As pessoas consideram a raiva uma emoção terrivelmente perigosa e encorajam a prática do pensamento positivo", explicou o autor da pesquisa, George Vaillant, que entrevistou 824 profissionais.

"Mas a raiva pode ajudar as pessoas a se tornarem mais assertivas e com uma facilidade maior para se posicionarem", disse Vaillant. "Os profissionais que falam o que pensam conquistam o respeito dos seus pares e têm mais chances de receber uma promoção."

Quando adotamos a atitude de ficar prendendo as emoções, por força de circunstâncias ou em decorrência de implantes, não conseguimos nosso intento por completo, pois, a todo tempo, permanecemos liberando emoções. Não existe uma palavra ou um ato que não tenha uma emoção por trás. Dessa forma, quando lemos um livro, assistimos à TV, vemos uma peça teatral ou um filme, participamos de uma conversa, estamos liberando de alguma forma emoção.

Existe uma certa unanimidade sobre os benefícios da expressão de emoções positivas, como felicidade, amor, alegria, prazer e entusiasmo. Mas, quando se fala em raiva, ódio, angústia, mágoa e ressentimento, há um consenso implícito de que elas devem ser escondidas, evitadas.

Há pessoas que ficam acumulando raiva durante uma semana; é comum vê-las se irritando com facilidade por coisas pequenas. Essas extravasões constituem o escape psíquico para os sentimentos acumulados. Em uma partida de futebol, é muito comum encontrar isso. Observe, leitor, como alguns torcedores estão sofrendo antes, ansiosos, raivosos e descontrolados. A partida de futebol é a grande chance que eles têm de colocar tudo acumulado para fora sem serem muito questionados. Por essa razão, muitos gritam com jogadores, técnicos e juízes, xingam, dizem palavrões e outras coisas até piores. O estádio, às vezes, é uma grande privada emocional onde algumas pessoas vão descarregar seus sentimentos acumulados e aprisionados.

O local de trabalho costuma ser visto como o ambiente menos propício para manifestar sentimentos. "A estratégia das organizações de fixar metas e objetivos para os funcionários criou uma disciplina de comportamento que condena a expressão das emoções individuais", avaliou Antônio Valverde, professor de Filosofia da Pontifícia Universidade Católica de São Paulo (PUC/SP). "Por isso, há tanta monotonia, pouca solidariedade e escassa criatividade nas empresas."

Quando aprendemos que fazer cocô nas calças não é legal, também aprendemos a ter de prender coisas para o resto da vida. Alguns indivíduos acabaram transformando o ato de prender o cocô em prender tudo: prendem os sentimentos, guardam, prendem a si mesmos, prendem pessoas etc.

Falando de nossos sentimentos, enquanto estivermos prendendo, não nos tornamos livres. Por que muitas pessoas usam situações para soltar suas emoções, como o caso do futebol? Simplesmente porque não soltaram na hora que era preciso.

O "soltar" é um dos conceitos mais importantes deste livro. Entrar na energia do "soltar" é entender que os dramas que chegam até você, caro leitor, não precisam ficar em você, mas passar por você. Deixar o drama passar é permitir expressar na hora ou "em breve". Imagine que seu chefe foi pouco habilidoso com as palavras e você sentiu raiva por algum motivo. Se quiser limpar, tem dois caminhos básicos: mude a interpretação (veremos isso adiante no livro) ou permita-se, mais tarde, expressar o sentimento. Você pode expressar essa raiva, por exemplo, ao dirigir de seu trabalho para casa. Isso pode se manifestar com você simplesmente emitindo sons, gritos, falando algo que queria dizer, mas não era apropriado etc.

O poder que o "soltar" dá a cada um de nós é não deixar acumularem-se sentimentos que nos levem a perder o controle em determinadas situações. Com a prática do "soltar", você não cai na armadilha de ter que se desculpar, dizendo: "Não sei onde eu estava com a cabeça". Quando aprende o "soltar", você passa também a ser mais afetuoso, carinhoso, pois libera ainda o preconceito de manifestar seus sentimentos positivos.

O "soltar" tem a ver com a capacidade de acessar e liberar conteúdos emocionais. Tem a ver com amor-próprio e o sentimento de merecer uma vida livre de repetições emocionais. Mas lembre-se de uma coisa muito importante: o "soltar" é algo que, no fundo, você sabe fazer porque já era hábil na infância.

AS TRÊS FORMAS DE "SOLTAR"

Existem três formas de abordar o "soltar" que podem ser utilizadas em diversas circunstâncias e situações.

Dar boas-vindas ao sentimento e permitir-se sentir

Normalmente, quando negamos um sentimento, fica difícil mudar o estado emocional. O sentimento não muda; ele é anulado. Anular não significa que ele saiu. Portanto, ter um pensamento de boas-vindas é dizer para o sentimento: "O.k., já que está aí, tudo bem, deixe-me senti-lo então!". Parece óbvio, mas um sentimento existe para ser sentido. Os sentimentos que classificamos como ruins são os que mais atenção exigem de nós. Entrar nesses sentimentos não é algo agradável, mas, sem entrar, nada poderá sair. É entrando no sentimento, expressando-o, que permitirá que algo saia de você. Por isso, permita-se sentir, e, para isso, talvez seja necessário escolher algum lugar onde não se sinta reprimido por sentir, pois nem sempre as pessoas compreenderão o que se passa.

Ir ao centro da emoção
Quando nos permitimos "soltar", podemos também guiar

nossa mente se for apropriado. Toda emoção manifesta tem um sentimento conectado a uma memória. Ao guiar sua atenção ao centro da questão, muitas vezes surgem memórias. Permitir-se ir à origem da questão pode dar um novo entendimento ou significado que, na época, não existiu. A expressão da emoção pode nos levar a memórias, e elas podem ser mudadas.

Respirar no ponto corporificado
A respiração é, historicamente, um método muito utilizado e eficiente há milênios. No momento do "soltar", usar a respiração guiada pode proporcionar o encontro do centro da dor física ou ponto tenso e, por meio do bombardeamento de energia, a liberação de questões presas. Muitas vezes, as pessoas liberam coisas pela respiração e nem sabem o que foi. Normalmente, eu digo que é menos doloroso se curar sem se lembrar do que ocorreu no passado.

É preciso ter sempre a consciência de que sentimentos não mentem. Eles representam uma fonte de informação poderosa para cada um de nós. Então, duas perguntas para o leitor fazer neste ponto do livro:

O que quero na minha vida?
O que preciso soltar para fluir em direção ao que quero?

OS NOVE ESTADOS EMOCIONAIS

Um dos grandes desafios do ser humano é entender o que sente. Entender o que sentimos passa por conseguirmos qualificar ou classificar o que ocorre naquele instante. Como podemos perceber melhor o que sentimos diante de uma confusão de sentimentos?

O leitor encontrará, em seguida, um roteiro que ajudará a guiar seu entendimento sobre o que sente. A mente é muito útil quando lhe damos algo concreto com o qual ela possa trabalhar.

O que é estado emocional? Estado emocional é uma emoção que está presente em nossas ações e reações, conectada a pensamentos, memórias e sensações. Nossa vida é determinada pela constância de determinados estados emocionais.

Os nove estados emocionais, neste livro, constituem uma forma de você identificar e reconhecer o que sente. Quando identificar o que sente, mais fácil será lidar com sentimentos e transmutá-los. Para efeito de conhecimento, eis os nove estados emocionais inerentes à nossa natureza: apatia, tristeza, medo, luxúria, raiva, orgulho, poder, paz e alinhamento.

Tudo aquilo de que precisamos em nossa vida é trazer de volta nosso alinhamento. Estar no eixo, no centro do que somos com todos os nossos atributos, forças e talentos manifestos. Quando limpamos tudo o que não somos, o que resta é nossa essência.

Todos nós temos um mundo de emoções ao longo de um dia. Muitas dessas emoções se repetem, transformando nossa vida quase em um ciclo. Saber perceber em que estado estamos facilita mover emoções que não precisariam mais estar ali. Ao movermos as emoções consideradas "negativas", podemos também induzir as emoções ditas "positivas". Ter competência emocional nesse nível é saber limpar as emoções negativas e induzi-las ou alinhá-las com as positivas.

Apatia

A apatia é o estado emocional em que sentimos um desejo de morrer, mas não tomamos nenhuma atitude. Esse estado vem da desilusão, da descrença em nossas capacidades, de um cansaço de tudo e da vida, da falta de esperança. Muitas pessoas se sentem apedrejadas, moídas e condenadas. Reações típicas de desatenção, tédio, esquecimento e negativismo são frequentes. Outros padrões comuns são indiferença, fracasso, indecisão, falta de humor e preguiça.

Tristeza

A tristeza é o estado emocional em que queremos alguma coisa a mais e nos sentimos impotentes para obtê-la. Somos dominados pela inércia com uma vontade reprimida. Uma raiva passiva. Nosso corpo tem um pouco mais de energia que no estado de apatia, mas somos tomados pela dor e pela contração. A tristeza vem de muitos movimentos, como abandono, abuso, culpa, desespero. Muitas pessoas passaram por situações difíceis e não conseguiram se livrar delas. Eis algumas dessas situações: o sujeito foi enganado ou traído, perdeu pessoas queridas, tem saudade, sente vergonha de atitudes passadas, vivenciou tormentas.

Medo

Quando sentimos medo, queremos que ele vá embora, e ele normalmente não vai. No fundo, nossa mente acredita que não vamos dar conta da situação. O que nos leva a sentir medo pela nossa interpretação é a apreensão, a ansiedade, a desconfiança, o nervosismo, a irracionalidade. Quanto mais inibidos, duvidosos, céticos, frenéticos e preocupados somos, mais indícios para criações e manifestações do medo.

Luxúria

Quando experimentamos luxúria, queremos o controle e a posse. É uma possessão desmedida. Quando nos encontramos nesse estado, temos compulsão, egoísmo, imprudência e ganância; tornamo-nos, às vezes, glutões, invejosos, exigentes, avarentos e obcecados. Queremos acumular coisas e viramos manipuladores, perversos e possessivos.

Raiva

Quando temos raiva, é fácil perceber. Pouco provável que alguém finja raiva, pois é um sentimento que nos toma de assalto. A raiva é uma reação que ocorre quando algo nos dói e nos machuca. Queremos eliminar aquilo. Tornamo-nos seres em ebulição, agressivos e irritados. Nosso lado ciumento, hostil, impaciente, rancoroso, resistente, ressentido, impiedoso e indignado é evidência clara desse estado.

Orgulho

Experimentar o estado de orgulho representa o desejo de o indivíduo manter a condição em que se encontra. Significa ele querer mostrar o que tem, o que adquiriu, suas histórias, suas viagens. Pessoas orgulhosas não permitem que outros tenham mais do que eles. Não admitem competidores em suas visões. São sujeitos que acabam jogando e fazendo papéis para ganhar aliados. São pessoas às vezes arrogantes, autossuficientes, chatas, donas da verdade, dogmáticas, esnobes, pseudo-humildes, com tendência ao fanatismo, a se mostrarem superiores, presunçosas e teimosas, vangloriando-se de tudo e caindo em atitudes de hipocrisia.

Poder

Quando sentimos poder, agimos sem hesitação. Temos uma sensação de "eu posso". Saímos do vitimismo e assumimos nossa vontade e nossas atitudes. Pessoas em estado de poder são abertas, alegres, centradas, decididas e confiantes. Tendem a ser mais aventureiras, corajosas, criativas, flexíveis e independentes. Com poder, a motivação é maior, assim como o otimismo e o senso de humor.

Paz

Quando experimentamos a paz, temos uma sensação de fluir, de estar no fluxo natural das coisas. Não precisamos mais lutar e nosso esforço e empenho vêm de forma natural e energizada. Temos uma sensação de abundância, abrangência, amor e beleza. Relacionamo-nos facilmente com pessoas, pois "gostar" e "não gostar" não fazem mais diferença. Temos nossas crianças internas manifestadas, sentimo-nos enriquecidos e em equilíbrio. A gentileza brota espontaneamente, assim como o entendimento e a graça. A sensação de maravilhamento é frequente, assim como a sensação de pertencer.

Alinhamento
O estado de alinhamento dá o entendimento de completude ou "eu sou". É uma sensação de que estou uno, tudo está em mim e sinto tudo. Está tudo perfeito. Brota naturalmente um bem-estar contínuo, acompanhado de calma, leveza, preenchimento, quietude, serenidade e sabedoria. Sentimos maestria, presença, luz, pureza, sorte e liberdade. Vivemos sem tempo, sem pressa, sem limites, com tudo acontecendo na mais perfeita ordem.

EMOÇÕES ESTÃO EM TODA PARTE

Quando eu era membro do conselho latino-americano de uma companhia americana, tínhamos frequentemente reuniões nos Estados Unidos para análise ambiental, definição de estratégias e objetivos para diversos países. Nessas reuniões, era perceptível o excessivo controle emocional dos americanos e o descontrole emocional dos latinos. Um amigo confidenciou:

– Aqui, nos Estados Unidos, deixar a emoção aflorar demonstra fragilidade e instabilidade.

Um amigo latino argumentou:

– Lá no México, demonstra frieza ou medo de ser você mesmo.

Por que será que não lidamos de forma adequada com nossas emoções? Será que é uma forma de nos fragilizarmos? Ou as crenças não permitem esse tipo de discussão? Talvez seja algo tão complexo que não mereça tanta atenção ou estudo. Ou talvez seja assunto para desequilibrados ou loucos, que precisem de psiquiatras ou terapeutas.

Fluidez emocional não significa necessariamente uma emoção solta e desenfreada. Significa, em um primeiro momento, pessoas livres e conectadas às suas emoções.

Desde o instante em que acordamos até a hora de dormir, vivenciamos uma série de experiências. Essas experiências nos afetam, assim como nós as afetamos. É nessa interação que criamos sensações, sentimentos, percepções que tocam nossas emoções. Emoções causam perturbações positivas ou negativas em nossas mentes e em nossas vidas.

Quando despertamos pela manhã e entramos no chuveiro, podemos sentir o prazer da água quente ou já viver a tensão da reunião matinal; ou, ainda, a alegria de rever um amigo que chegará em breve. A todo momento, estamos criando imagens e pensamentos em nossas mentes, fruto de nosso passado, presente ou futuro. Esses pensamentos influenciam o que sentimos a partir da interpretação do que pensamos.

A mesma reunião pode ser tanto fonte de angústia para um como motivo de entusiasmo para outro. Depende da óptica de cada sujeito, assim como das experiências ou expectativas correlacionadas por ele mentalmente.

Temos, às vezes, a ilusão de que, se não falarmos sobre o sentimento, vamos processá-lo e esquecê-lo. Não nos esquecemos de nada. Está tudo registrado. O problema é que muitas pessoas não tiveram a liberdade para expressar o que sentem desde a infância e assumiram a atitude de "deixar para lá". O sentimento é um pensamento "não pensado".

Grande parte das doenças que temos é criada por nós mesmos a partir de emoções contidas. Essas emoções ou esses sentimentos não expressos nem revelados tornam-se bombas-relógios e podem afetar nossa área mais frágil fisiologicamente.

Quanto mais conectado o sujeito estiver com seus sentimentos, mais vai entender que tudo em sua volta gera emoções. Decisões como:

o que quero ver na TV que não gere sentimentos ruins;
o que quero ler que me faça bem;
pessoas que quero que façam parte da minha vida;
com que tipo de trabalho quero me envolver para que gere sentimentos bons.

Desejo mostrar-lhe que suas escolhas certas ou saudáveis trarão um fluxo de energia "certa" para sua vida.

Imagine o contrário. O sujeito acorda de manhã, abre o jornal e se concentra somente nas notícias ruins. Depois, relaciona essas notícias com sua vida e lembra-se dos problemas que tem que resolver. Comenta com sua esposa (ou seja, reforça-os). Sua filha sai sem se despedir e ele se sente mal e culpado pela distância da adolescente. Vai para o trabalho com a intenção de ser um ótimo solucionador de problemas. Em que campo de frequências você acredita que essa pessoa esteja envolvida?

É isso que quero lhe mostrar. O sujeito muda tudo quando está conectado com o que sente. Simplesmente para e diz a si mesmo: "Não me sinto bem com isso, não quero mais isso!". Se começar a agir assim, simplesmente mudará toda a sua vida por meio das energias emocionais.

Outro aspecto sério é deixar os impulsos emocionais controlarem nossas atitudes. Isso se deve, muitas vezes, a uma não discussão interna de fatores antecedentes similares. A não compreensão leva à reincidência por meio dos impulsos e de reações aos fatores motivacionais externos.

Dentro de nós habitam emoções das mais variadas formas. Primeiro, precisamos entender o que sentimos, quando sentimos e por que sentimos. Depois, necessitamos aprender a lidar com nossos sentimentos e nossas emoções. Isso leva a uma fluidez emocional saudável para uma vida consciente e verdadeira.

COMO MANTER OU MUDAR O ESTADO EMOCIONAL?

Identificar o sentimento
Quando você fala, pensa ou age, é importante lembrar que tem um sentimento por trás. Queira ou não, ele induz você ou se retroalimenta. O primeiro passo é identificar o que sente.

Associar-se ao estado
O segundo passo é associar-se a um dos nove estados emocionais. Veja por meio do qual sente, onde se encaixa. Assim, poderá trabalhar com mais precisão.

Para mudar: expressar o negativo
Se você estiver em um estado emocional negativo que o prejudique e também a outros, antes de falar ou agir use as técnicas de "soltar". Quando você estiver livre da emoção, suas ações serão naturalmente mais equilibradas.

Para manter: expressar o positivo
Se você percebe que se manifesta uma emoção positiva, abrir caminho para ela se perpetuar é um bom passo. Você pode simplesmente induzir o estado para se manter. Como fazer isso? Se você está alegre em um determinado momento, traga sua consciência para esse estado, dê-lhe importância, valor e expanda. Você

expande quando oferece além de você ao outro. Quanto mais você dá, mais recebe. Essa é a premissa para trazer emoções positivas.

EMOÇÕES EM INÍCIO DE CORPORIFICAÇÃO

As crianças são perfeitos mestres em lidar com emoções, e devemos aprender com elas. O que faz uma criança quando tem raiva, fome, sede ou ânsia? Ela expressa! Grave isto: ela expressa! E o que significa expressar? Significa liberar, deixar ir.

O início da corporificação de uma emoção acontece porque não deixamos a emoção ir embora! Quando uma criança sente raiva, ela grita, esperneia e se debate. Isso seria simplesmente maravilhoso se não vivêssemos em um modelo social que reprime a manifestação de sentimentos. Quantas vezes uma criança manifesta a raiva e o choro, e os adultos a reprimem, dizendo:

– Pare de chorar! Agora! Não quero ver você chorando!

– Pare de gritar agora! Nenhum grito mais!

Assim, aniquilamos a capacidade de um ser liberar sentimentos ruins. Não manifestar sentimentos significa retê-los. Eles ficarão lá. Você estará ensinando as crianças a guardarem-nos, ao invés de liberá-los, quando, de fato, deveria aprender com elas, pois são, literalmente, perfeitas nisso!

SENTIMENTO É SENTIMENTO

Entendemos muitos sentimentos como negativos. Já vimos anteriormente que isso é relativo, e sentimento é sentimento. Não existe sentimento bom ou ruim. Raiva não é negativo, é um filamento de informação para o sujeito. Ela não surge do nada e, assim como surgiu, pode ir embora caso seja sua vontade. Para isso, é preciso romper com padrões sociais, como reter sentimentos. Aqui, por exemplo, sugiro algumas práticas eficazes para o leitor liberar a raiva:

conecte-se com a raiva, dê-lhe as boas-vindas;
respire-a e permita-se acessar o que ela quer lhe dizer;
questione: o que está por trás dela?
indague: que crenças a alimentam?

Permita-se manifestar. Grite, se for o caso. Expresse, expresse muito. Quantas vezes e o tempo que precisar. Procure, logicamente, um lugar apropriado para isso.

Meu filho, uma vez, irritou-se muito com uma situação que estava vivendo. E percebi que se encontrava em alterado estado de irritação. Sugeri, por estarmos em casa e em família, que ele gritasse. E ele o fez. Eu disse:

– Xingue! – e ele começou a xingar e a gritar.

– Grite mais! – pedi.

Depois de um tempo, ele me disse:

– Perdi a vontade, não quero mais gritar, isso não me incomoda mais.

Veja, amigo leitor, como foi importante ele liberar a emoção. Ao liberá-la, a situação imediatamente passou a ser vista de outra forma, e seus campos de energia física e mental foram limpos. Aquilo não iria se corporificar. Após adotar essa prática em minha vida e manifestar minha raiva e todo tipo de sentimento, afirmo-lhe que sou mais leve, embora confesse que muitas pessoas já me disseram que, de uns tempos para cá, estou desequilibrado e emocionalmente descontrolado.

Afirmo que, quando mudamos nosso padrão, a sociedade tenta nos trazer para o padrão antigo. É inaceitável, socialmente falando, uma pessoa emocionalmente livre. É saudável dizer que expulso minhas emoções, mas tenho lucidez para não sair gritando no meio de uma festa. Mas grito, choro, deixo ir. Levo sempre a consciência ao centro da emoção para que a limpeza ocorra.

Respirar! Nada é tão poderoso quanto a respiração. Por ela, podemos identificar onde exatamente está a emoção e expulsá-la. A respiração é o fluxo da vida, a balsa que podemos usar para, conscientemente, colocar a emoção dentro dela e deixá-la ir.

Se o leitor ainda não fez um curso sobre como respirar, recomendo que não deixe de fazê-lo. Primeiro, porque realizamos isso todo o tempo, embora não saibamos respirar. Poucos sabem. Segundo, porque é a essência do viver. Você vive como respira. Se mudar sua forma de respirar, pode mudar sua vida. Leve sempre a consciência ao centro da emoção para que ocorra a limpeza.

O USO DO CORPO

Atividades físicas, se feitas conscientemente, com o intuito de liberar emoções, podem ajudar a liberar sentimentos. Um amigo de Florianópolis, muito nervoso por lidar com o mercado de ações, sempre chegava muito tenso e irritado em casa. Sua esposa me confidenciava que sua tensão se alojava toda na nuca, e eles sempre tinham algum tipo de atrito. É claro que emoção retida provoca alteração no campo de frequência do corpo, que, por sua vez, ativa e predispõe a pessoa a reações mais facilmente.

Um dia, ele chegou a casa com um saco de pancadas e a ficha de inscrição para um curso de *tae kwon do*. Todos os dias subsequentes, após voltar para casa nervoso, ele usava o saco para socar com os pés e as mãos. Sua esposa comentou que ele virara outra pessoa e não conseguia entender como um saco daqueles podia trazer tanto benefício. Na verdade, não era o saco; ele estava colocando seus sentimentos para fora. O saco era apenas um meio para isso acontecer. Assim como esse *tae kwon do* "caseiro", correr e nadar são práticas esportivas excelentes para a expulsão de sentimentos. Outros esportes, como o futebol e o basquete, quando usados para expulsar emoções, são mais perigosos porque envolvem confronto e atrito de corpos.

Em síntese, seu processo de limpeza se dá expressando o negativo para sair e o positivo para ficar.

QUEM É VOCÊ?

Muitas pessoas ficam querendo saber quem são. Para isso, fazem inúmeros cursos com vistas a desvendar suas características e personalidade. Tudo bem, não há problema em fazer os cursos, mas a pergunta que lhe dirijo é a seguinte: um gato precisa saber quem ele é? Um papagaio precisa saber quem ele é? Uma árvore precisa saber que ela é chamada "árvore"?

O grande equívoco do ser humano é que ele se desconectou dele mesmo por força do "sistema" em que passa a maior parte da vida querendo entender sobre sua existência. O caminho que recomendo é parar de querer saber "quem eu sou". Qual deveria ser nosso maior trabalho? Simplesmente identificar e jogar fora tudo que não somos nós! O que é esse "tudo que não somos"? Todas as nossas emoções negativas que estão atreladas a memórias e conteúdos que não se foram de nós! Quando começarmos a limpar o lixo psíquico e emocional de dentro, o que restará? Nós, nossa essência e nossos atributos naturais. Quando aprendemos a jogar fora o que não somos, tornamo-nos mestres de nós mesmos e acessamos um poder pessoal incomparável e absoluto.

Portanto, leitor, pare de ficar buscando quem é você, aprenda a jogar fora tudo o que não é você, limpe as programações que implantaram em você e verá que sua essência sempre esteve à sua disposição.

O princípio básico do **FLUA** é que nós já temos dentro tudo de que precisamos para viver a vida com plenitude e sabedoria. Necessitamos é jogar fora tudo o que não somos para que nos sintonizemos com estados emocionais que tragam poder, paz e alinhamento.

PARTE III
A força dos pactos

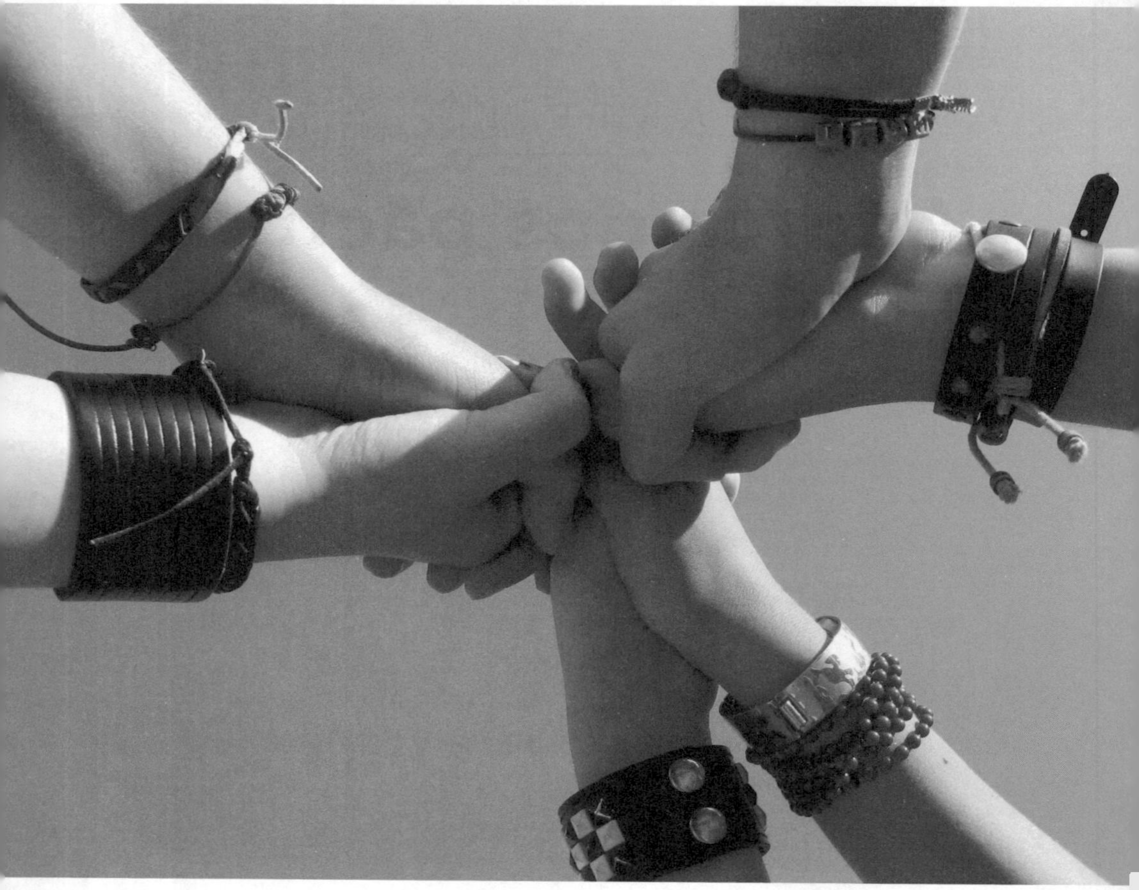

É importante saber que você vive e se desenvolve dentro de uma rede de acordos coletivos que sustentam e definem toda a existência do mundo e de seu mundo. Nesse universo de acordos, você tem livre escolha para decidir com que acordos quer operar sua vida e quais estão mais próximos de seus valores pessoais.

Por que optei, neste livro, pelo uso da palavra "pacto"? Pacto, de forma bem objetiva, significa ajuste, convenção, contrato. Se pararmos para pensar, tudo na nossa vida baseia-se em pactos, acordos ou contratos. O Universo pactua, o mundo estabelece pactos, bem como governos, empresas, famílias. As relações ocorrem por meio de pactos; as pessoas têm pactos com elas mesmas. Relações cármicas são pactos.

Para ativar sua fluidez e torná-lo livre, sugiro 12 pactos nos próximos capítulos. Mas quero também ajudá-lo a entender como esses pactos operam e como você pode criar e destruir os que não estão em suas intenções. Por isso, prosseguiremos aprofundando um pouco o seu entendimento sobre os pactos.

Primeiramente, precisamos entender a diferença entre alguns conceitos importantes. Qual é a diferença entre hábito, padrão, crença e pacto?

- Hábito é um comportamento. Algo que está incorporado ao jeito de ser e fazer.
- Padrão é uma ação constante. Algo que se repete sem que você perceba. Uma espécie de piloto automático.

☐ Crença é em que você acredita. É uma firme convicção.
☐ Pacto é um acordo, uma condição, um contrato. Algo que você estabeleceu definitivamente para sua vida.

Por que coisas indesejáveis se repetem em sua vida?

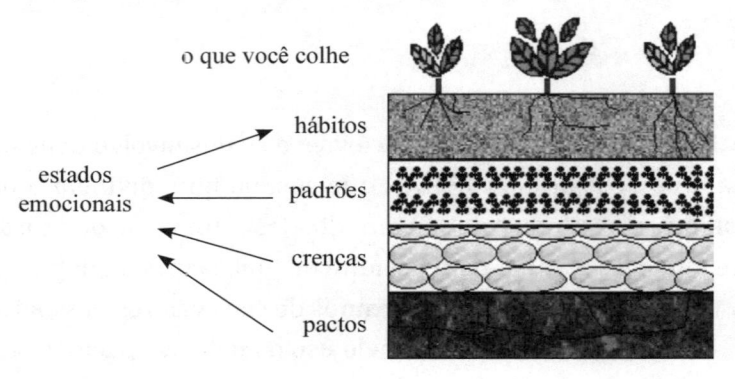

o que você colhe

estados emocionais

hábitos
padrões
crenças
pactos

Na figura anterior, podemos entender alguns sistemas em nosso modo operante.

Os pactos são fontes primárias. Eles representam a resposta interna e um acordo interno de o indivíduo nunca mais passar por algo que lhe foi desagradável. O pacto é formado por uma interpretação em um contexto de vida que leva a um sistema de defesa. Ele normalmente é feito de forma inconsciente. A origem é o medo, fruto de um trauma ou um choque. O pacto é forjado para criar uma defesa. A partir dele, o ser humano passa a acreditar em um monte de verdades (crenças) que sustentam essa forma acordada.

Quando o pacto é criado e as crenças acopladas, forma-se então um "campo" de energia condicionante. Esse campo de energia condicionante nos leva a experimentarmos situações conectadas ao campo. Passamos, então, a reproduzir ou atrair sequencialmente situações (padrões) em nossas vidas para fazer frente ou lidar com esses padrões. Adotamos, por conseguinte, comportamentos (hábitos) que vão configurando nossa forma de agir. Tudo, absolutamente tudo, que colhemos em nossas vidas de bom e de ruim vem de pactos, e todo esse sistema foi completamente desenhado por nós ao longo de nossas vivências.

Vamos ver um exemplo. Certa vez, estava atendendo uma pessoa em um de meus treinamentos de imersão e perguntei: "Você acredita que fumar faz mal à saúde?". Ela respondeu que sim e fazia campanha contra, dentre outras ações. Eu questionei: "Então, por que você fuma?". Ela parou e disse: "Não sei, mas eu fumo!".

Caro leitor, veja que simplesmente acreditar que o cigarro faz mal não é suficiente para que ela pare. Você pode até pensar que ela não deve acreditar tanto assim, senão já teria parado! Eu posso lhe dizer que sim, de fato essa é uma possibilidade, mas eu decidi, nesse dia, com permissão dela, ir mais a fundo e entender de onde isso vinha.

Após passar por um processo comigo, ela descobriu algo interessante. Quando era criança, por volta dos seus cinco anos, a mãe a deixava à tarde com a empregada. Por volta das 15h até as 18h, a criançada, no prédio em que ela morava, descia para brincar. A maioria das crianças tinham dois a três anos a mais e, então, ela era submetida à vontade dos outros. Isso foi traumático, de certa forma. Essa situação constante gerou um sentimento, fruto de uma interpretação. No processo, ela descobriu alguns pensamentos que passavam na mente dela naquela época: "Estou sendo desrespeitada na minha vontade, não estou tendo voz porque sou menor" e "Me sinto com raiva". É claro que uma criança de cinco anos pode não ter um entendimento claro do contexto, mas, querendo ou não, ela interpreta, e a interpretação pode levar à defesa. No caso dessa moça, foi exatamente o que ocorreu. O medo de ficar de fora das brincadeiras fez com que ela criasse um pacto no seu mais profundo inconsciente: PRECISO PROVAR QUE SOU GRANDE. Quando identificamos isso, o quadro dela ficou muito claro sobre a questão de fumar.

→ **O pacto: preciso provar que sou grande** – por isso, fumar foi uma de suas ações para sustentar o pacto (decisão tomada aos 14 anos).

→ **A crença: fumar faz mal à saúde, mas não vai me afetar!** – simplesmente porque ela acredita que é grande e está acima disso.

→ **O padrão: sempre está fumando** – a reprodução diária e automática cria um mecanismo.

Não adiantava mudar a crença dela enquanto não descobríssemos o pacto que ela havia feito. Após esse trabalho e a sequência dele, ela nunca mais fumou. A questão não era o cigarro, mas a necessidade de se sentir grande. Claro que muitas outras questões e hábitos relacionados foram por terra junto.

> A mudança não vem necessariamente da modificação
> da crença, mas da identificação do pacto
> ou acordo inconsciente que fez.

Ao longo de meus cursos, fui ajudando muitas pessoas a mudarem seus pactos. Vejamos alguns exemplos de pactos que as pessoas descobriram:

- tenho que ser aceita pelas pessoas;
- só faço o que me dá prazer;
- tenho que ser melhor do que os outros;
- não posso perder o que tenho agora;
- tenho que dar tudo de mim;
- preciso ser notada para me sentir especial;
- só vou dar certo se trabalhar muito;
- tenho que ser homem;
- tenho que ser uma menina boazinha;
- não posso ficar só.

Muitos foram os contextos para as pessoas firmarem esses pactos. Mas é importante notar que o pacto vem sempre em formato de condição: "preciso", "tenho", "devo", "não posso" etc. É quase um contrato que você estabelece com você mesmo, por força de uma situação.

Alguns pactos existem de forma subliminar e podem reger sua vida mais fortemente do que você imagina. Por exemplo, se as pessoas moram em um edifício, todas elas, que são os moradores, precisam pactuar sobre como vão se comportar. Esse contrato, que pode ser chamado de convenção, nada mais é do que um pacto coletivo. Isso influenciará o bom andamento ou não das coisas. Regerá comportamentos, dará luz para resolver conflitos ou não. O pacto é um influenciador, seja ele positivo, seja negativo. O pacto cria contexto, assim como contextos influenciam pactos.

Vamos ver outro exemplo. Consideremos uma família constituída de um casal e dois filhos. O casal almoça fora, cada um em sua atividade, e os filhos, em casa com uma auxiliar da família. Quando todos estão em sua residência, à noite, é comum ver a mulher lanchando à mesa, o homem alimentando-se diante da TV e os filhos lanchando, cada um em seu quarto, enquanto jogam *video game*. Se observássemos essa cena de fora, poderíamos nos fazer a seguinte pergunta: o que existe de forma subliminar nesta família em relação à alimentação e ao convívio?

Primariamente, um pacto, um acordo, um consentimento. Eles concordaram com essa situação. Pode ter sido um pacto consciente e abertamente discutido, um arranjo surgido naturalmente ou, até mesmo, de maneira inconsciente. Mas é algo ajustado, pactuado. É assim que surge um pacto em suas diversas formas.

Eles aceitaram isso. Eles podem ter criado pactos como: cada um deve ter sua liberdade; deixe as crianças livres; hoje em dia cada um se alimenta como e onde quiser etc. Esses pactos podem trazer coisas boas ou não. A grande questão é a seguinte: se percebemos que algo não está como gostaríamos, precisamos identificar o que temos pactuado e rever ou fazer outros pactos.

Assim como essa família pactuou atitudes nas relações entre si, cada membro estabeleceu também seus pactos internos, que podem ou não ter influência nos pactos externos. Portanto, se essa família tem problemas, os pactos atuarão por trás das relações, influenciando-as. Se esses acordos forem saudáveis, o tempo revelará, pois o tempo faz tudo aflorar.

Se pararmos para analisar, as famílias têm uma série de pactos sobre inúmeros outros assuntos. Tudo está pactuado. Mas, além dos arranjos sociais, familiares e profissionais, temos fortes pactos conosco. O pacto que cada indivíduo faz com si mesmo requer uma atenção dobrada. É no pacto pessoal que residem poderosas chaves para liberar a fluidez pessoal.

Muitas coisas que uma pessoa faz repetidamente de alguma forma constituem fruto de um pacto feito com ela mesma. Tanto que aquilo com que você não pactua, você não consegue fazer durante muito tempo. Se as coisas estão andando como deseja, se você se relaciona de uma forma que o satisfaz, se está feliz com sua forma de ser, existem pactos que estão por trás de tudo isso e que sustentam os efeitos em sua vida. O inverso também é verídico.

Vamos, neste livro, mexer na origem dos hábitos. Não é errado nem incorreto mexer nos hábitos propriamente; é um caminho, mas despenderemos muito esforço e energia em tal empreitada, pois teremos de mexer no que os antecede sem um instrumento mais efetivo. Quando você mexe na origem do hábito, simplesmente seu poder e sua capacidade de transformar hábitos não saudáveis em saudáveis são bem maiores.

Tudo com que você, de certa forma, concorda e pactua passa a influenciar sua maneira de agir ou, mesmo, de reagir. Nada, absolutamente nada que esteja ocorrendo como padrão negativo em sua vida está acontecendo por acaso. Não existe acaso na vida. Você fez pactos, conscientes ou não, trouxe crenças e criou padrões de comportamento e pensamento que produziram o que tem e o que é hoje.

Por exemplo, imagine que acertou com sua empresa estar no trabalho às sete da manhã. Uma vez feito o acordo ou pacto e tomada a decisão de cumpri-lo, você criará uma maneira de se organizar para executar isso. Deverá dormir mais cedo, abrir mão de saídas, antecipar leituras de livros etc. Dessa forma, você começará a criar um novo hábito em sua vida, e esse hábito criará sentimentos e pensamentos sobre quanto isso está sendo bom ou não. Assim, concordando com o andamento de sua jornada madrugadora, criará um padrão que sustentará os hábitos adquiridos. Mas lembre-se de que tudo se iniciou com um acordo ou pacto.

Existem pactos que complicam nossa vida e nossas relações, bem como aqueles que efetivamente nos libertam para sermos o que podemos efetivamente ser. Existem pactos que estão por trás do nosso êxito. O êxito justificado e saudável, quando existe de forma consistente e verdadeira, é literalmente fruto de pactos.

EXISTEM OS PACTOS SAUDÁVEIS

Alguns pactos que fiz em minha vida tiveram e ainda têm uma forte influência em minha transformação e liberdade como ser humano. Eles influenciaram fortemente minha maneira de ver o mundo, as coisas, as pessoas e a mim mesmo. Libertaram-me do cárcere emocional que criei ao longo da vida e das relações humanas. Proporcionaram-me uma nova visão de mundo e de Universo. Ajudaram-me a ser mais produtivo e influenciaram o êxito das minhas intenções. Possibilitaram-me virar um ser humano muito mais fluido.

Fazer pactos saudáveis é fundamental para o avanço e a libertação. O pacto saudável é o que traz saúde, paz, sustentação para os desafios, equilíbrio. Quando estamos inteiros e equilibrados em alguma situação, as relações mostram isso. Os pactos saudáveis regem tudo, ainda que de maneira invisível. Nossa vida está repleta de pactos, e não adianta sair anotando todos eles enlouquecidamente. Não é necessário. À frente, veremos como lidar com eles de forma centrada.

Meu caro leitor, primeiro você deve aprender a identificá-los. Sem isso, não há como promover nenhum tipo de trabalho.

A IDENTIFICAÇÃO DOS PACTOS
Como identificar um pacto? Simplesmente, tudo o que somos, fazemos ou temos está conectado com pactos feitos.

Vamos ver, em seguida, uma maneira de identificar pactos, sejam eles saudáveis ou não. A identificação é relativamente simples, pois o fluxo ou sua interrupção traz sinais, e é por meio dos sinais que os encontramos.

Se você deseja identificar os pactos não saudáveis, uma forma eficaz é iniciar por aquilo que representa dor ou disfunção em sua vida hoje. Se deseja identificar os pactos saudáveis para mantê-los e potencializá-los, veja tudo que está bem, em ordem, que lhe traz alegria, harmonia, prazer e bem-estar.

Antes de mostrar-lhe formas de chegar aos pactos, quero reforçar que somente você poderá colocar esse alinhamento em movimento. Apenas você deverá decidir em que colocar seus esforços. Somente você poderá identificá-los. Esta é sua tarefa e seu caminho.

Porém, afirmo-lhe que você tem o poder de identificar e alinhar pactos. Não duvide de sua capacidade e sensibilidade. Elas estão a seu dispor!

CHAVES PARA IDENTIFICAR OS PACTOS

São dois os meios para chegarmos aos pactos:

1. foco no incômodo ou no problema que se repete;
2. método das perguntas elaboradas.

MÉTODO DO FOCO NO INCÔMODO

Uma forma de chegar aos pactos ocorre por meio de nossos incômodos, fracassos ou dores. Mas, principalmente, aquilo que se repete. Se algo se repete é porque tem um padrão e, se tem padrão, tem pacto.

O método consiste na reflexão e, sendo assim, convido o leitor a sentar-se confortavelmente em uma cadeira ou sofá ao praticá-lo. Tenha em mãos um pequeno bloco ou papel para algumas anotações. Respire para alinhar-se. Traga sua atenção para sua vida neste momento. Procure, sem defesas, olhar para tudo aquilo que não está como gostaria. Observe seus relacionamentos, seu trabalho, seus esforços, suas atividades e veja onde existem problemas, confusão, esforço, desgaste. Perceba que comportamentos não o deixam satisfeito consigo. E o mais importante: observe, de tudo aquilo que o incomoda, o que é uma repetição em sua vida.

A chave dessa etapa é encontrar um foco. Ter um único ponto ou incômodo a ser trabalhado. O erro de algumas pessoas é querer trabalhar muitas questões simultâneas. Na ânsia de querer resolver toda a vida, algumas pessoas querem tudo. Quem busca tudo acaba não tendo nada.

Na esfera dos pactos, todos nós temos muitos deles a serem resolvidos, e a experiência mostra que a questão é como uma camada de uma cebola. Quando você tira uma camada, outra aparece pronta para você. Por isso, tenha em mente um ponto de incômodo por vez.

As perguntas abaixo ajudam a encontrar um ponto de trabalho.

- O que não está bem na minha vida?
- O que mais me incomoda hoje?
- O que quero e ainda não obtive?
- O que mais uma vez ocorreu na minha vida e me desagradou?
- O que se repete e já me cansou?

MÉTODO DAS PERGUNTAS ELABORADAS

Fazer perguntas é um poderoso instrumento de investigação. Não existe pergunta nesse campo que não possa ser respondida. Poderemos até não ter a resposta em um primeiro momento, mas, feito o questionamento certo, a resposta chega. Acredite, pois ela vem. Vejamos, a seguir, como podemos chegar ao pacto.

Primeiramente, você deve ter o ponto de incômodo por repetição. Esse ponto de incômodo pode ser um hábito ou uma situação. Em seguida, você acha o padrão que se repete. Dele, acha-se a crença e, dela, o pacto. Vamos acompanhar a seguir um exemplo que ilustra esse processo.

Carlos Leite apresentava um incômodo: em todas as empresas onde trabalhou, tinha problemas de relacionamento. Qual o padrão que ele identificou? "Sempre discuto". Quando encontrou o padrão, ele aplicou a seguinte pergunta: "Por que sempre discuto?". Assim, descobriu uma crença que sustentava o padrão: "A vida é uma eterna disputa". Isso era algo em que ele acreditava.

Em seguida, a técnica foi usar a pergunta inversa: "E se a vida não fosse uma eterna disputa?". Dessa forma, ele descobriu o pacto: "Mesmo assim... **Não posso dar parte de fraco**".

O pacto que Carlos fez foi este: não pode dar parte de fraco. Isso o colocou no fim das contas sempre em disputas e brigas por posições no trabalho. Ele adquiriu hábitos e um arsenal de comportamentos derivados. Com a identificação e a mudança do pacto, Carlos teve uma modificação muito percebida já nos primeiros dias de volta à empresa. Isso se manteve e foi melhorando ainda mais.

Vamos ver os quatro passos para achar pactos:

1º passo: encontre o incômodo;
2º passo: ache o padrão;
3º passo: aplique o "por que" em cima do padrão para achar a crença;
4º passo: faça a "pergunta inversa" em cima da crença, trazendo o raciocínio "mesmo assim" para encontrar o pacto.

Venho usando ano após ano, com centenas de pessoas, esse processo com extremo êxito. Muitas delas encontraram pactos de uma forma que as impressionou. Se você seguir com primor esse processo, acredito que se defrontará com pactos que nunca imaginaria ter feito. Pode ser algo libertador.

Lembre-se de que você pode observar seus pactos em tudo aquilo que se repete. A repetição é baseada em um consentimento, e esse consentimento é um acordo ou pacto feito. Não reclame de algo que se repete em sua vida. Concentre-se em descobrir o pacto que sustenta isso.

Quando fazemos as questões acertadas, o Universo responde. Invariavelmente. Adicione sempre que possível os "porquês", pois eles são instrumentos investigativos bem eficazes.

Essa é uma forma de ir até os pactos, pois, queiramos ou não, lá eles estão, vivinhos, latentes e operantes. O grande benefício desse método é revelar um cenário maior sobre o sujeito, ajudando-o a perceber seu universo de pactos e como eles se repetem, quais são interessantes e úteis, e quais não o são.

Cada um tem o direito e o poder de quebrar esses pactos após a identificação de sua origem, caso queira e sinta isso.

Normalmente, não é difícil chegar aos pactos quando fazemos as perguntas certas e damos o enfoque preciso, justo. O que em geral ocorre é que algumas pessoas, na ânsia de encontrá-los, desviam-se emocionalmente, trazendo outras questões que fogem da essência da pergunta inicial.

AO MEXER NOS PACTOS, EU MEXO NA MINHA NATUREZA?

Nossa natureza será sempre a nossa natureza. Pactos são consequências de nossa natureza, como também podem adulterá-la, de forma a criar anomalias, tristeza e sofrimento. Pactos podem criar um véu capaz de impedir fluidez e manifestação. Pactos criam contextos. Você pode muito bem perceber isso pelos incômodos em sua vida. Se algo que você faz o incomoda muito, a ponto de causar-lhe dor, algo tem aí que deve ser investigado. A dor, o incômodo, a raiva, a tristeza, a perda, o prejuízo, quando frequentes, são sinais. Os sinais mostram as ligações com os pactos.

COMO ALTERAR OS PACTOS DEPOIS DE IDENTIFICADOS?

Escolha um pacto para trabalhar. Pactos andam juntos. Às vezes, um está atrelado a outro. Assim, algumas pessoas podem pensar que deveriam trabalhar com todos. Não necessariamente. Quando mexemos com um de forma efetiva, mexemos com vários. Muitos caem quando apenas um cai ou é modificado.

Quando se decidir por um, recomendo que o escreva da maneira mais clara possível. Normalmente, uma frase é suficiente. Por exemplo: tenho que dar certo na vida.

MÉTODO ASA-RA
  A – adote
  S – sinta
  A – ame
  R – reescreva
  A – alinhe

ASA – ADOTE, SINTA E AME O PACTO ATUAL
O que mais queremos quando identificamos um pacto é nos libertar dele. Quando desejamos nos livrar de algo, isso é um sinal efetivo de medo. Medo e desejo andam juntos. Não será pelo medo que alteraremos pactos, mas aceitando-os e acolhendo-os em nosso coração. Eles tiveram um porquê de estar ali; foram necessários. Eles trabalharam muitas coisas para nós. Chegamos onde estamos por causa deles. É hora de reconhecê-los e honrá-los. Leve-os para o coração e diga quanto você está feliz em vê-los operando. Adianto que não é tarefa fácil, mas a plataforma da mudança do pacto será o amor, não o desejo de eliminá-lo. Não prossiga enquanto não o amar. Reconheça seu valor e tudo o que ele fez por você até então. Isso pode levar dias ou semanas. Dê o tempo que for necessário. Só assim poderá prosseguir.

RA – REESCREVA-O E ALINHE-SE COM O NOVO PACTO

Não há necessidade de eliminar seu pacto. Essa é a boa notícia! E você precisa dizer a ele que vai reescrevê-lo. Ele precisa trabalhar. Ele quer operar. Dê-lhe um novo papel! Reescreva-o. Assim que o reescrever, alinhe-se e firme um compromisso, em seu coração, com o que está vendo à sua frente. Você não precisa dizer isso a ninguém. O poder de alinhamento do novo pacto deve se manifestar em suas ações, não em suas palavras. Lembre-se disso. Fale menos e aja. Dessa forma, o alinhamento se dá com maior intensidade.

Alinhar significa criar uma primeira e rápida experiência. Sempre que reescrever um pacto, grave bem, você precisa criar uma experiência imediata.

Reforço também que quem deve reescrevê-lo é a própria pessoa. Ninguém mais deve fazê-lo. Ninguém, por exemplo, pode saber o que é melhor para você. E, mesmo que o pacto reescrito não o ajude mais depois de certo tempo, afirmo que era para ser assim com você. Nem sempre as coisas se definirão exatamente como queremos, mas como devem ser, no seu tempo.

O QUE FAZER COM OS PACTOS SAUDÁVEIS?

É comum focarmos os problemas ou as dificuldades, até porque queremos nos ver livres deles. Mas será que, se nos livrarmos desses mesmos problemas, alcançaremos a felicidade? Nem sempre. Primeiro, porque a vida sempre nos trará novos desafios e etapas. Ela nunca cessa. Segundo, porque precisaremos de nossos pactos saudáveis para, talvez, enfrentar os novos desafios. Portanto, é preciso reconhecer, dar as boas-vindas aos pactos saudáveis, pois eles constituem hoje nossa estrutura, nosso alicerce, nossa base sólida.

Eles dão sustentação para que cada um de nós enfrente e construa o que for preciso. Reconhecê-los é o precioso presente que o indivíduo pode dar a si mesmo. Por isso, sugiro ao leitor que invista tempo nesse reconhecimento. Uma boa forma de fazer isso é listar as coisas boas que vêm se repetindo em sua vida; uma lista de realizações na qual encontre as que são afins etc. A partir disso, é preciso identificar os contratos que as mantêm. Eles são saudáveis. Esses contratos criaram uma fórmula de êxito para cada pessoa e devem ser observados para ser reutilizados de forma consciente.

OS PACTOS SAUDÁVEIS SÃO PARA SEMPRE? PRECISO REVÊ-LOS?

Pactos saudáveis podem ser permanentes ou não. Depende de você, caro leitor, e de sua vida. Às vezes, circunstâncias levam-nos a criar pactos saudáveis provisórios. Por exemplo, um conhecido entrou na política e, depois das primeiras experiências, viu que precisava se fechar para se proteger de intrigas e de interesseiros. Ele concluiu e pactuou consigo: "Ninguém é confiável neste ambiente". Durante seu mandato de quatro anos, ele levou esse pacto ao pé da letra. Isso o ajudou a não se meter em problemas maiores e criar atritos desnecessários. O problema é que, ao final, ele largou a política por desencanto, mas continuou, sem perceber, com o pacto. Durante o período de seu mandato, esse pacto foi saudável como forma de proteção e resguardo, por ele ser uma figura pública, mas, depois, já não lhe era mais útil. No entanto, ele continuou vivendo sua vida "não confiando em ninguém".

Esse é um pequeno exemplo, dentre muitos. Às vezes, precisamos de pactos provisórios. Em outras ocasiões, determinados pactos, antigos e saudáveis, deixam de ser úteis por motivos internos ou externos. Uma pequena mudança no nosso interior, em nossa condição ou no momento pode nos levar a deparar com uma série de pactos que precisam ser revistos ou liberados.

Por isso, o leitor deve considerar que os pactos não são necessariamente permanentes, e revisá-los com certa periodicidade é um exercício plenamente saudável para não se prender ao que criou e não lhe serve mais. Assim, ser fluido é não se apegar a um pacto que não mais lhe proporciona saúde, bem-estar e resultados positivos. Ser fluido é se unir aos pactos saudáveis em determinado momento de sua vida.

PARTE IV

Estado de poder

OS PACTOS 1 A 4 DO ESTADO DE PODER

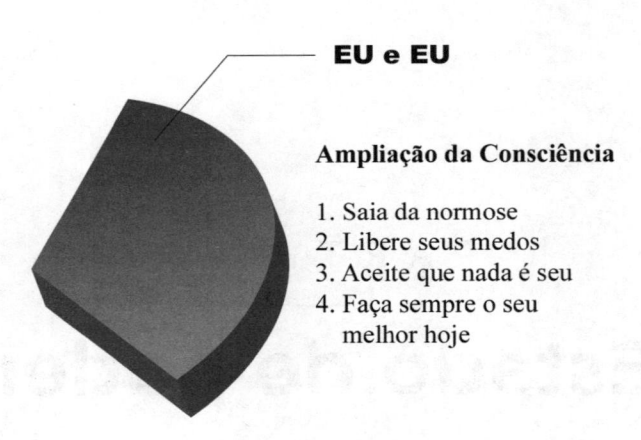

EU e EU

Ampliação da Consciência

1. Saia da normose
2. Libere seus medos
3. Aceite que nada é seu
4. Faça sempre o seu melhor hoje

PACTO 1

SAIA DA NORMOSE

Uma pessoa pode chegar a ser um Ph.D., um pós-doutor, sendo um analfabeto emocional, um bárbaro da subjetividade, um ignorante da alma.

Roberto Crema

Quando, em 2006, visitei um ortopedista, dizendo que meu joelho apresentava dores, ele me disse:

– Louis, se não quiser ter problemas futuros, terá que operar. E adianto-lhe que, nos primeiros 15 dias, terá a sensação de que piorou. Depois, verá que suas dores diminuirão e estará pronto para voltar ao esporte se quiser.

Dito e feito. O que ele apontou ocorreu, e minha sensação inicial era de completa piora, comparando-a com o passado. Intervenções cirúrgicas, quando realmente necessárias, nos trazem desconforto, mas, em médio e longo prazo, proporcionam certo benefício.

O que vamos falar agora é algo semelhante a uma intervenção cirúrgica. Gera um incômodo forte, uma sensação de piora, porém os resultados futuros são compensadores.

Vivemos em um mundo onde os padrões têm se apresentado de forma reincidente por eras. A história do mundo, os dramas humanos vêm se repetindo sequencialmente. Se analisarmos de maneira aprofundada a história, encontraremos, há centenas de anos, os mesmos problemas atuais em uma roupagem diferente; outros, literalmente idênticos.

Às vezes, parece que andamos em círculos, reproduzindo erros e dramas como se nada tivesse sido vivido anteriormente. Seguimos repetindo sempre os mesmos comportamentos de forma padronizada. Um padrão social e emocional de reação às situações da vida. Nós somos a sociedade, nascemos dela, transformamo-nos nela e ainda exigimos que os outros façam o mesmo. Os padrões e os modelos sociais estão em nós, mais do que imaginamos. A sociedade não quer que mudemos e, muitas vezes, nós não queremos mudar.

A FORÇA DOS PADRÕES

Tratamos, na introdução à terceira parte do livro, do modo como os pactos influenciam os hábitos. Agora, vamos falar dos padrões, que são instrumentos regentes de nossa vida.

O que é um padrão? Um padrão é uma série de etapas ativas que cumprimos do mesmo modo, na mesma ordem, o tempo todo. Se seguirmos determinado padrão com frequência, ele se tornará de tal forma automático que seremos capazes de fazer determinadas coisas sem necessariamente pensar nelas.

Quer você goste, quer não, todos nós temos padrões, e eles operam em nossa vida. São consequências dos hábitos criados pelos pactos. Aprendemos por repetição. Tudo que é repetido é fixado, seja bom ou ruim. Os padrões são formas matriciais, energéticas, de repetição.

A APARENTE SUTILEZA DA MANIFESTAÇÃO DOS PADRÕES

Os hábitos surgem sem percebermos. Eles vão sutilmente respondendo a alguma necessidade interna e, depois, quando menos imaginamos, eles estão lá, arraigados dentro de nós. Alguns desses hábitos são saudáveis; outros, não mais. E aí reside nosso grande desafio: percebê-los e mudá-los, pois muitas de nossas barreiras internas encontram-se escondidas atrás desses hábitos. Dos hábitos surgem os padrões.

Certa vez, indo de Brasília para Uberlândia, peguei um desses aviões de hélices e pedi à atendente que me colocasse mais no final da aeronave, pois sabia que o barulho das hélices era mais forte no meio. Mas, dessa vez, um ruído intenso, agudo e ensurdecedor tomou conta de todo o avião. O barulho incomodava tanto que tive de colocar os dedos no ouvido. Quando olhei para frente, vi que não só eu tinha adotado esse comportamento como também metade dos passageiros. Imaginei que, quando a aeronave decolasse, o barulho sumiria. Doce engano. O barulho persistiu.

Peguei uma revista para ler e, depois de uns 20 minutos, percebi que o barulho havia diminuído. Passaram-se mais 20 minutos e nada mais incomodava a mim e aos passageiros. Seguimos a viagem, tomamos nossos drinques, comemos sanduíches e, quando o piloto desligou as hélices ao pousarmos em Uberlândia, sentimos um grande alívio. Naquele momento, todos se deram conta de que o barulho agudo havia permanecido e nós apenas nos acostumáramos a ele. Uma senhora comentou:

– Nossa, eu já estava tão acostumada àquele barulho agudo que só me dei conta dele quando o avião foi desligado.

Fazendo um paralelo com nossa vida, a quantos barulhos já nos acostumamos no nosso dia a dia? O piloto teve que desligar os motores para percebermos isso. Você já pensou em desligar algumas coisas em sua vida? Você é o piloto de sua existência!

Se o leitor parar para pensar, esse barulho poderia ser um padrão negativo que temos e que nem percebemos mais. Ele está tão arraigado e presente que nem notado é. Esse é um dos motivos pelos quais as pessoas muitas vezes não mudam coisas em suas vidas: elas nem percebem o que está acontecendo!

Padrões não mudam se não percebemos que eles existem. Esse é o primeiro passo e o mais importante. Alguém pode perguntar:

– Mas como perceber algo que precisa ser mudado?

Simples! Uma forma é escutar o que as pessoas dizem sobre nós de maneira repetida. Elas normalmente enxergam algo que nós não percebemos. É a visão externa, embora nem sempre "correta", admito. Mas jamais devemos descartar as percepções dos outros, em especial quando elas vêm de pessoas completamente diferentes. Essas pessoas estão nos dando oportunidades de perceber padrões que se repetem e que são tão comuns que não os vemos.

Padrões são processos repetitivos de energia em ação, e, quando o indivíduo recebe repetidamente conselhos, retornos de algo sobre ele, isso é um sinal evidente de uma oportunidade de melhoria, de mudança ou de uma maior consciência. Essa é uma das razões pelas quais muitas organizações investem na criação de uma cultura de *feedbacks* – se possível, em toda a estrutura hierárquica.

Outra forma é o leitor perceber quais são as coisas que se repetem negativamente em sua vida. Assim, fica a sugestão: vá atrás de fatos. Organize-os e veja os que são recorrentes. Por trás deles, sempre existem padrões sustentando-os que talvez precisem ser revistos ou mesmo eliminados. Portanto, se você tem padrões é porque os criou e os alimentou. Você tem poder para fazer isso. Porém, se quiser, da mesma forma que os criou, pode eliminá-los. Eliminamos padrões da mesma maneira como os construímos: por um processo sistemático de repetição de um novo padrão de pensamento ou comportamento.

Como criaturas de hábitos que somos, consideramos reconfortante fazer o mesmo caminho para casa, comer o mesmo tipo de comida, comprar o mesmo estilo de roupas, ir ao mesmo supermercado etc. Se repetirmos muito alguma coisa, isso se tornará um padrão. E é difícil romper padrões. Por meio da identificação de um pacto, será possível perceber padrões relacionados, e vice-versa.

Durante anos, uma amiga em Belo Horizonte frequentou um sacolão nas proximidades de sua casa. Certa vez, seu marido resolveu acompanhá-la e percebeu muitas coisas que não estavam adequadas, como variedade e atendimento, dentre outras. Ao saírem, ele perguntou se ela gostava de lá, e a mulher respondeu que estava muito satisfeita e quis saber por que ele estava questionando o sacolão.

O marido expôs sua percepção e acrescentou que existiam outros melhores. Ela resistiu por um bom tempo, simplesmente pelo fato de não ter vivido ou conhecido outros. E também não queria experimentar novos mercados por já estar acostumada a ir lá há anos. Um dia, seu marido conseguiu levá-la a outro sacolão e ela ficou encantada. Ela somente percebeu seu costume quando experimentou um diferente. A partir daquele dia, passou a comprar em outro local.

Assim como ela, muitas pessoas têm padrões e dificuldades de percebê-los e mudá-los quando necessário.

O indivíduo somente se dá conta de que está em algo quando sai desse mesmo algo. Um peixe só percebe que está na água quando sai da água; do contrário, a referência continua a mesma. De forma análoga, só percebemos o que está à nossa volta quando saímos de onde estamos e enxergamos a partir de outra realidade.

Muitas pessoas têm uma enorme resistência a experimentar o que não faz parte de seu mundo. Isso porque todos nós temos padrões para consumir, pensar, responder. Os padrões podem ser sutis ou não, pequenos ou não, saudáveis ou não, inofensivos ou não.

Normalmente, desempenhamos atividades similares todos os dias. Sem os padrões, seríamos obrigados a ter que pensar em cada ação na qual estaríamos envolvidos, o que seria muito cansativo. Muitos padrões são úteis e nos ajudam a economizar tempo e energia.

O problema maior são os padrões que nos causam alienação, problemas e doenças. Quando esses padrões passam a comandar nossas vidas, podemos criar problemas e dar um rumo desnecessário às coisas.

Roberto Crema disse que, "se um avião está no piloto automático e de repente enfrenta uma grande turbulência, é loucura deixá-lo no piloto automático!". O problema é que isso está acontecendo com muitos seres humanos.

Seguimos nossos dramas, nossos padrões, nossas dores como

se tudo fosse uma coisa normal. Essa normalidade apresenta um padrão patológico e tem nome: normose.

Segundo Pierre Weil:

> *[...] normose pode ser definida como um conjunto de normas, conceitos, valores, estereótipos, hábitos de pensar ou de agir, que são aprovados por consenso ou maioria em uma determinada sociedade e que provocam sofrimento, doença e morte. Em outras palavras, é algo patogênico e letal, executado sem que seus autores e atores tenham consciência de sua natureza patológica.*

Temos uma sociedade enferma, com distorções nas instituições, mentiras e uma profunda hipocrisia nas relações. Vivemos, pois, uma grande mentira. Se não pararmos para olhar essa tragédia, não sairemos dos padrões normóticos colocados pelo senso comum sobre o que é aparentemente "certo".

Meu querido leitor, a doença do século 21 chama-se normose. Somente haverá evolução humana e espiritual se reconhecermos essa doença e começarmos a tratá-la. A boa nova é que ela tem cura ainda em vida!

OS PADRÕES NORMÓTICOS

Que padrões normóticos podemos identificar? Dentre os milhões, é possível ver, a seguir, alguns que são sociais e bem comuns.

Temos que comprar chocolates na Páscoa porque é época de dar chocolates – normose coletiva.

Temos que comprar presentes no Natal porque é época de dar presentes – normose coletiva.

Aquele banho matinal, em que realizamos os mesmos procedimentos sem pensar e sentir o que estamos fazendo, com a mente voltada para o nosso dia – padrão normótico diário.

Todo dia, no semáforo, encontramos meninos pedindo dinheiro e pensamos que aquilo está errado, mas não tem nada a ver conosco – normose coletiva.

Lemos notícias de corrupção política no jornal e começamos a aceitar que isso é assim mesmo e não mudará, como se também não tivéssemos nada a ver com a política.

Temos uma equipe de funcionários e sempre conseguimos resultados da equipe na base da pressão, justificando que é assim que tem que ser quando queremos resultados das pessoas – padrão normótico.

Toda vez que recebemos uma crítica, tomamos como pessoal e queremos nos vingar.

Sempre que estamos com pessoas, optamos por nos fechar devido a experiências passadas.

Fomos traídos e, por isso, todos os homens/todas as mulheres são iguais.

Não estou sugerindo que o leitor pare, por exemplo, de comprar presentes no Natal simplesmente para sair do padrão normótico, mas sim que reflita sobre o sentido disso para si, sobre o que esse momento realmente lhe diz, o quanto ama e quer as pessoas que estão em sua vida hoje, qual é o melhor presente para elas etc. Essas questões nos fazem verdadeiramente avaliar nossos condicionamentos sociais e trazem luz para um comportamento natural e autêntico do nosso ser.

A normose pode vir de um padrão de pensar, agir ou sentir, de um consenso social ou de uma verdade coletiva. Trata-se da normalidade doentia – lembrando que existe a normalidade saudável.

Tudo que é feito no piloto automático, que não é pensado,

que não está consciente e que é um processo repetitivo configura um processo normótico. No entanto, isso não significa que não possamos mais repetir nada em nossa vida. Não tem nada a ver com isso. Padrões saudáveis e conscientes devem ser repetidos, porém grave o leitor a chave: tem que existir consciência do que está sendo feito. Consciência significa estar ciente, perceber e sentir o que fazemos no tempo presente. O tempo presente é a chave para a consciência.

Temos, também, inúmeros padrões normóticos na forma de pensar e estes, às vezes, representam o maior entrave para o nosso progresso como seres humanos. Vivemos de tal forma que estamos nos levando à extinção, sem pensar no que comemos e compramos, ou nos materiais que usamos! Somos facilmente convencidos por campanhas bem-sucedidas de marketing a consumir determinados produtos que efetivamente não trazem, em absoluto, nada de bom para nós ou para o mundo, e continuamos a consumir, achando tudo muito bonito. É um padrão para obtermos aceitação dos outros.

A moda é outro bom exemplo de padrão normótico. Agora, a cor da estação é verde, então muitas pessoas trocam suas roupas e compram o que é verde. Muitos ainda adquirem as mesmas roupas para ser aceitos em determinados grupos ou tribos sociais. Não quero dizer que há algo de errado com a moda. As confecções, as fábricas têm o papel de traduzir, nas roupas, as mudanças sociais e comportamentos, e de buscar um contínuo desenvolvimento tecnológico. Mas o que quero mostrar é a interpretação normótica que concebemos com o propósito de buscar uma aceitação ou, até mesmo, de criar um valor emocional para nós mesmos por meio da roupa.

Quando as pessoas precisam de algum produto para ser reconhecidas e aceitas nas tribos, temos normose alimentando normose. As marcas investem no marketing a fim de que as pessoas, ao usarem determinados produtos, criem uma identidade emocional com aquele produto. Quanto mais fragmentada estiver uma pessoa, mais facilmente ela se tornará uma presa emocional de uma armadilha de transferência de identidade.

Esse é um dos papéis de algumas empresas. Elas querem vender seus produtos, pois precisam disso para sobreviver. No entanto, existem as empresas conectadas com a energia social, universal, e as empresas que não o são. Cabe ao ser humano consumir de forma consciente, não normótica, pois normose atrai normose e se espalha por outras áreas da vida, por ser um estado mental condicionado, funcionando como um ímã.

Jung afirmava que só o medíocre aspira à normalidade. E, muitas vezes, nossos padrões normóticos foram criados porque escutamos nossos pais, professores e amigos mais do que deveríamos.

A NORMOSE PODE VIR DE UM PROCESSO EDUCACIONAL DE ANOS

Tenho um amigo cuja família é bem tradicional e conservadora, e sua base de entendimento foi toda construída na relação familiar, que ele preza e respeita muito. Os preceitos de determinada igreja são muito presentes entre seus parentes, e eles incorporaram determinadas verdades pela lógica dessa instituição. Um dia, conversando com esse amigo sobre a questão homossexual, ele me disse que a homossexualidade é uma doença.

– Por que você a vê como doença? – perguntei.

Ele me apresentou uma série de argumentos científicos fornecidos por sua igreja, que mostravam as disfunções no corpo de um homossexual.

O leitor acha que eu conseguiria convencê-lo do contrário? Durante toda a sua vida, ele viveu em um meio familiar em que conceitos foram fortemente incutidos em sua cabeça. Agora, ele apenas procura os argumentos para reforçar o que pensa!

É assim que funciona a mente normótica! Ela encontra justificativas poderosas para continuar dentro do mesmo padrão de pensamento e ação. O problema maior de um padrão condicionado, prejudicial, é achar que isso é normal.

Não julgo meu amigo. Não tenho esse direito, mas percebo que ele somente me apresentou uma visão parcial. E ver as coisas somente sob um ponto de vista é vê-las pela metade.

Agora, consigo também imaginar o que poderia acontecer se ele saísse de seu modelo mental! Caso aceitasse os homossexuais e os respeitasse, seria, provavelmente, muito questionado pelo meio em que ele mesmo viveu e construiu. E não sei se ele teria capacidade de suportar isso, a não ser que quisesse uma mudança.

Este é outro importante ponto: experimente, caro leitor, sair do padrão normótico! Se tentar sair, receberá uma pressão enorme na forma de preconceito, acusações e culpas com o intuito de amedrontá-lo, dentre outras artimanhas, para que volte ao estado anterior. Essas pressões chegam em forma de um leve comentário, de uma acusação ou sanção, às vezes por parte das pessoas que estão mais próximas. Por que isso? Simplesmente porque os indivíduos se incomodam com quem sai do padrão, pois, ao sair do controle, esse alguém ativa coisas que elas não querem mudar ou considerar em sua própria realidade.

É como duas pessoas doentes que, frequentemente, tomam analgésicos para suportar a doença, e uma delas resolve não tomar mais o medicamento, decidindo buscar outra forma de se curar da enfermidade. Aquela que ainda ficou com o remédio pode ter um desejo profundo de que a outra não encontre saída e, assim, tenha que voltar a tomá-lo para ter uma companheira para sua inércia. Assim funciona o mecanismo de defesa de muitos seres humanos. Muitos torcem para as coisas darem errado em um momento de mudança do outro, simplesmente porque essa mesma mudança, se bem-sucedida, vai incomodar.

Tenho um amigo que trabalhava em um banco público em Brasília há uns 20 anos. Um dia, resolveu ir para a iniciativa privada a fim de arriscar, ganhar mais e ter mais liberdade de ação, já que era um empreendedor e não via espaço para esse espírito em uma organização pública. Quando tomou essa decisão, ouviu vários comentários de seus colegas:

– Por que trocar o certo pelo duvidoso?
– Você vai se arrepender e depois não tem volta!
– O setor público tem seus problemas, mas a gente tem dinheirinho certo no fim do mês!
– Na área privada, você vai trabalhar muito mais do que aqui!
– Você ficou louco! Já está com 20 anos de banco!
– Aposente-se! Depois, monte seu negócio!

Apenas um colega o apoiou:

– Você está tendo a coragem que eu não tive para sair deste inferno!

Todos os comentários refletiam um profundo incômodo com uma pessoa que resolveu mudar, sair do "normal". O que era o "normal"? Trabalhar, aposentar-se e, depois, montar um negócio. A propósito, ele deixou o banco e foi muito bem-sucedido em suas intenções, tornando-se um empresário com mais de mil funcionários em um período de cinco anos.

Na cidade de Brasília, onde o setor público é grande, é comum pais incutirem na cabeça de seus filhos que a segurança futura deles está depositada em um emprego público. E muitos acreditam e vivem infelizes com essa crença.

Observo que o modelo normótico opera de forma subliminar e sutil. Se você é funcionário público e se irritou com o que eu disse, é bem provável que exista um padrão em você que ainda não reconheceu. Isso não significa que empregos públicos sejam ruins; pelo contrário, são importantes formas de aprendizagem, de serviço ao Estado e ao País. Refiro-me às pessoas que pensam nisso de forma covardemente condicionada, como uma fuga, como se esse fosse o único caminho para a sobrevivência e a estabilidade. Essa atitude influencia comportamentos, a criatividade e a produtividade. Daí encontrarmos muitas pessoas tristes, deprimidas, irritadas e desequilibradas no trabalho público.

A normose se manifesta de muitas maneiras, como a normose do consumismo, do tabaco e do alcoolismo; a normose da invisibilidade social; a normose política, da tradição; a normose tecnológica e a religiosa, dentre tantas.

Outro grande desafio mundial é a normose gerada pelos meios científicos, que doutrinam e induzem os seres humanos a toda uma forma de pensar. Roberto Crema disse que os

> [...] grandes representantes do século 21 postularam determinismos variados, centrados na competitividade. Darwin apontou o fator biológico e a competição entre as espécies; Freud, o aspecto psíquico e a competição entre potências psicológicas; Marx, o fator econômico e a competição entre classes. Somos hoje uma sociedade vivendo uma competição sem fim, em todos os aspectos da vida. Somos frutos de um padrão científico, determinado, normótico. Assim funciona a sociedade. Não recebemos inputs sobre como construir cooperação, fraternidade, amor etc. O problema é que o padrão normótico da sociedade, influenciado pela lógica científica, despreza e reprime todo e qualquer movimento que seja contrário ao estabelecido. E ainda o traduz como anomalia, levando à exclusão. Basta olharmos a história e vamos ver o que aconteceu com aqueles que decidiram sair dos padrões normóticos. A ciência tem seu papel na história

e é digna de respeito, porém ela está evoluindo, e nós precisamos saber sair dos padrões normóticos.

Desde 1996, opero com franquias de uma multinacional na área de treinamento, e quantas vezes me lembro de sermos estimulados a competir entre nós. O leitor deve estar pensando: como? Ao se divulgarem os resultados de todos, é criado um sistema de premiação por resultados que, naturalmente, estimula a competição.

Não afirmo que isso seja totalmente errado no modelo de mundo em que vivemos. O problema é que esse modelo alimenta o conceito de competição e separatividade vivenciado por nós.

Alguns meios da mídia constituem também um foco de processos normóticos. Multidões de seres não pensantes assumem como verdade tudo o que é dito ou mostrado pelos meios de comunicação. Esse é outro exemplo da patologia social. Algumas mídias apresentam suas próprias interpretações ao selecionarem fatos que querem passar ao público, em vez de veicularem o ocorrido como um todo. E as pessoas compram tudo, às vezes de forma parcial, fragmentada e adulterada.

O interessante é que escuto pessoas criticarem a mídia. Isso é inútil, pois ela vai dar a notícia que o consumidor quer. Normose gera normose. A mídia mudará quando a sociedade mudar. A sociedade é que define o que vai consumir como informação ou qualidade de notícia. A mídia precisa sobreviver e, portanto, jamais negligenciará uma mudança de cultura social.

A normose é sistêmica, e até mesmo no sistema de educação encontramos padrões e procedimentos completamente sem consciência. Segundo Roberto Crema:

[...] algumas escolas convencionais perderam suas nobres funções, reduzindo-se a um processo de domesticação e adestramento intelectual, no qual a criança é obrigada a engolir informações que se tornam obsole-

tas em alguns meses, para mais tarde vomitá-las em exames. Perpetua-se essa técnica de tortura, que é a comparação. Compara-se uma pessoa a outra, exigindo-se de todas um desempenho-padrão. A criança é modelada para aprender a se vender por notas, que precisa mostrar aos pais, jogando sua originalidade no lixo. Talvez seja uma das origens da corrupção. Mais tarde, essa pessoa educada vai se vender por outras notas.

Nosso modelo de ensino encontra-se vendido por notas. Criamos um padrão em que é normal decorar para repetir. Essa burra normalidade terá impacto e precisará ser vencida no futuro: decorar para repetir, repetir para lembrar, lembrar para passar na prova.

Esse processo também ocorre fortemente nos concursos públicos, nos quais se privilegia quem decorou, e não quem pensa – razão pela qual sentimos muita falta de pessoas de bom senso, que pensem, em alguns setores públicos. Não estou afirmando que os referidos concursos estejam errados, mas, como são aplicados de forma incompleta, fortalecem padrões normóticos altamente nocivos em uma sociedade.

Sem a percepção da normose e a dedicação a um rompimento consistente e gradativo para um novo padrão saudável, nós não evoluiremos positivamente. Iremos sempre precisar das catástrofes pessoais, coletivas e institucionais para acordar e mudar o que precisa e deve ser mudado. Muitas vezes, o que mais bloqueia nossa capacidade de mudar é o medo. Sobre ele, falaremos no capítulo seguinte.

Gosto muito de contar uma experiência que retrata um pouco como criamos padrões com a maior facilidade. Não vou comparar os humanos aos macacos, mas a experiência traz uma reflexão analógica interessante.

Certa vez, um grupo de cientistas colocou cinco macacos em uma jaula, em cujo meio havia uma escada e, sobre ela, um cacho de bananas. Quando um macaco subia na escada para pegar as bananas, um jato de água fria era acionado sobre os que estavam no chão.

Depois de certo tempo, quando um macaco ia subir a escada, os outros tentavam impedi-lo, enchendo-o de pancadas. Passado mais algum tempo, nenhum macaco subia mais a escada, apesar da tentação das bananas. Os cientistas, então, substituíram um dos macacos por um novo. A primeira coisa que o novato fez foi subir a escada, sendo retirado pelos outros, que o surraram. Após algumas surras, o novo integrante do grupo deixou de subir a escada.

Um segundo macaco, veterano, foi substituído, e a cena se repetiu, tendo o primeiro substituto participado, com entusiasmo, da surra no novato. Um terceiro macaco foi substituído, e o resultado foi idêntico. O quarto e, afinal, o último dos veteranos foram substituídos.

Os cientistas, então, ficaram com um grupo de cinco macacos que, mesmo nunca tendo tomado um banho frio, continuavam batendo naquele que tentasse pegar as bananas. Se fosse possível perguntar a algum deles por que batiam em quem tentasse subir a escada, com certeza a resposta seria: "Não sei, mas as coisas sempre foram assim por aqui...".

O exemplo ilustra bem o que ocorre conosco, como seres e como civilização. Essa ideia está presente nas frases a seguir.

Sempre foi assim!
Aqui as coisas sempre funcionaram dessa forma!
Tentamos fazer desse jeito em 1998 e não funcionou!
Nós nunca fizemos dessa forma!

Esses são alguns dos muitos exemplos que ilustram nossa prisão normótica dentro de um modelo mental.

Quantas vezes você está fazendo algo na sua empresa ou no trabalho e se pergunta por que determinadas coisas são como são.

– Não sei, mas sempre foi assim! – justificaria um colega.

Ou, ao indagar se seria possível experimentar algo de uma forma diferente, alguém poderia argumentar:

– Não, tem que ser assim porque sempre foi dessa forma!

Esse é um evidente padrão normótico operando em uma instituição, organização ou núcleo profissional.

Aqui, quero tratar das normoses, dos padrões que criamos para nós mesmos e que nos aprisionam, apesar de serem considerados "normais". Nós somos mais do que isso.

UMA CHAVE EFETIVA PARA SOLTAR OS PADRÕES

Normalmente, quanto mais queremos nos livrar dos padrões, mais eles persistem, além de criarem raízes mais fortes e sutis. Quanto mais tentamos negá-los, mais fortes se tornam. Não é negando que os mudamos ou nos livramos deles. Existe uma afirmação que é muita poderosa e pode ajudar o leitor a soltar os padrões. Ao identificar um padrão que não queira mais, repita alto e em bom tom para você mesmo: "Isso é padrão antigo!".

Quando usamos a expressão "isso é", não nomeamos, apenas reconhecemos. O padrão quer ser reconhecido, não negado. Gosta de saber que existe. Normalmente, trato o padrão como uma consciência viva. Ao usarmos a palavra "padrão", simplesmente nos desidentificamos do ato.

Ao utilizarmos o adjetivo "antigo", simplesmente o redirecionamos para o lugar a que pertence. E o leitor esteja certo de que é exatamente isso o que ocorre. É possível usar a palavra "passado" em vez de "antigo", mas posso assegurar que a afirmação – repetida exatamente como a sugeri – é implacável. Algumas vezes precisei fazer essa afirmação por um bom período, mas ela é poderosa e funciona, se houver uma real intenção e consciência ao expressá-la. Assim, caro leitor, experimente e verá.

Saia da normose!

PACTO 1

SAIA DA NORMOSE

**CHAVES PARA IDENTIFICAR E MUDAR
PACTOS NÃO SAUDÁVEIS**

Passo 1: Lembre-se de que em tudo que se repete em sua vida existe um padrão que é sustentado por um pacto.

Passo 2: Encontre o pacto por meio do foco no incômodo e das perguntas elaboradas.

Passo 3: Use o método "ASA-RA".

Passo 4: Normose gera normose; portanto, quebre isso.

Passo 5: Ao retroceder a um pacto anterior, lembre-se de afirmar: "Isso é padrão antigo".

PACTO 2

LIBERE SEUS MEDOS

Medo, em inglês, é traduzido em alguns dicionários como *fear*. No entanto, existe uma tradução da palavra *fear* de que eu particularmente gosto muito, e considero bem apropriada para explicar o que é medo.

F – *false*
E – *evidence*
A – *appears*
R – *real*

Ou seja, evidência falsa que parece real.

É fundamental entender que o medo não existe de fato. Ele é uma ilusão da nossa mente. Aliás, não digo que o medo não exista; ele está presente, sim, mas na sua mente. E sua mente é poderosa: ela cria e torna as coisas aparentemente reais.

Se pegarmos o medo e o dissecarmos, descobriremos que não sobrou nada. Ele não se sustenta. É uma das maiores ilusões do ser humano. O medo não está baseado na verdade.

A DIFERENÇA ENTRE MEDO E SITUAÇÃO

Para tratarmos de medo, é necessário que o leitor entenda a diferença entre tal sentimento e uma situação concreta.

Por exemplo, se você é assaltado e outra pessoa coloca uma arma na sua cabeça, isso é uma situação, algo que deve ser abordado. Um fato concreto que necessita de sua atuação para ser resolvido. Não tem necessariamente relação com o medo. O medo sempre é uma sensação que se passa na sua cabeça. Uma situação é algo concreto. Grave bem isso, pois você precisará saber usar o discernimento para não adotar erroneamente um comportamento ou uma atitude.

O MEDO COMO MEIO DE SUPERAÇÃO

Vamos aqui tratar do medo, mesmo que ele só exista na nossa cabeça. Vivemos em uma sociedade fomentadora do medo. Precisamos entrar na nova energia, que não reconhece mais o medo. Precisamos sair da frequência do medo que foi colocada no planeta.

Para isso, é muito importante considerar que o medo não é necessariamente algo ruim, que deve ser combatido de maneira compulsória. Trataremos o medo como um sinal que nosso corpo ou nossos sentidos estão nos enviando. Medo, mesmo criado na mente, materializa-se, corporifica-se. Medo é um filamento de informação, como se algo mais profundo em nós dissesse: "Ei, eu não compreendo bem isso e, portanto, não me sinto à vontade ou seguro. Por favor, investigue". Podemos usá-lo como meio de superação e mudança, mesmo sendo um véu ilusório.

O grande problema reside em querer combater o medo sem entender o que ele está nos informando, ou querer criar mecanismos de defesa ou anulação. Assim surgem nossos problemas e os grandes dramas da humanidade.

O medo é como um lado escuro, e é importante ressaltar que todos têm um lado escuro. Precisamos aprender a trabalhar com o nosso lado sombrio, com a nossa escuridão, com essa parte que não funciona do modo como gostaríamos que funcionasse.

Temos a tendência de seguir o preceito lutar/fugir: ou luto ou fujo. Não adianta fugirmos de nossa própria escuridão, pois é nela que podemos encontrar nosso próprio dom. É o espaço em que vislumbramos os nossos talentos, se tivermos a coragem de ir até lá. É na escuridão que percebemos o valor e a beleza do nosso ser. E o caminho para penetrar na nossa escuridão é o amor. É por meio do amor que atravessamos o intransponível e criamos nossas realidades.

O problema é que o medo nos impede de amar. Ele nos afasta do coração, nos desconecta. O medo nos torna covardes, afastando-nos de nossos sonhos e aspirações. Os medos têm força para frear o fluxo do amor, constituindo-se em bloqueadores energéticos que impedem a fluidez de um ser.

Segundo Lee Carrol:

> *[...] o medo sempre cria uma realidade ansiosa em sua vida. As emoções criam pensamentos, que criam a realidade – os pensamentos criam a emoção, que cria a realidade. Assim, se houver ansiedade em sua criação, você criará sempre alguma forma de realidade ansiosa. Ela o impede de viver seus sonhos, como gostaria de vivê-los; ela impede que o fluxo de amor vá onde você quer que ele vá.*

Uma boa forma de lidar com o medo é estar com ele. É preciso reconhecer, em um primeiro momento, esse medo dentro do nosso corpo. Ele pode ter vindo de uma mágoa dos tempos de criança, pode ter sido herdado dos nossos antepassados, dos nossos avós ou pais, e agora o adquirimos. Existem muitas manifestações. Às vezes, criamos pensamentos originados do medo em forma de verdades e crenças, que se transformam em padrões operacionais. Afirmações como "eu não mereço", "nunca serei feliz", "nunca terei dinheiro" ou "sempre serei sozinho" tornam-se padrões fundamentados no medo.

Se falamos de seres-água, fluidez é a chave para a evolução. O medo muitas vezes funciona como uma barragem em um rio, que trava o fluxo. Sem o fluxo, não existe liberação, não existe fluidez, não existe limpeza, não existe crescimento. Nós precisamos fluir sempre. Por isso, o Pacto 2 é sobre o medo.

O FATOR RESPIRAÇÃO

A respiração é um instrumento extremamente poderoso para o indivíduo lidar com o medo. Aprender a respirar – e como fazê-lo em situações de medo – nos traz controle e entendimento para enfrentá-lo.

Em meus cursos, exploramos o medo por meio de respiração. Ela nos leva ao que realmente importa: o sentir. O ser humano tende a não querer sentir medo, e o que fortemente recomendo é que sinta. Não é fugindo do sentimento de medo que vai superá-lo. Por meio da respiração e permitindo-se sentir, uma pessoa pode ir ao encontro do medo e atravessá-lo. Tudo o que precisamos fazer é ir ao encontro do medo. Todas as vezes que o fiz, descobri que não existe nada lá, apenas memórias e projeções.

O MEDO NAS ORGANIZAÇÕES

Vivemos, hoje, no universo das organizações. Essa é a característica manifestada do modelo de mundo atual.

O hospital em que nascemos é uma organização. A escola e a faculdade em que estudamos são organizações. A empresa onde trabalhamos é uma organização. E, quando morrermos, formos cremados ou enterrados, uma organização tomará conta desse processo. Nossas vidas giram em torno de organizações.

As organizações são poderosos instrumentos de mudanças, embora nelas reinem as manifestações psíquicas adversas do ser humano, bem como as fantasias e os sofrimentos.

Existe uma fantasia nas organizações, de fundo psíquico, segundo a qual as pessoas irão sempre se comportar de maneira lógica, não emocional e supereficaz. Infelizmente, essa falsa perspectiva – que ocorre sempre no início entusiástico de um trabalho – se transforma em dor e atrito, e isso tem relação com o medo.

S. J. Rachman ofereceu uma definição de medo nas empresas como "a experiência de apreensão", com quatro causas primordiais:

- exposição a estímulos traumáticos;
- comunicação fomentadora de medo;
- exposições, abertas ou fechadas, de pessoas;
- ações contínuas de situações pseudotraumáticas.

O excessivo controle é um fator que força situações desnecessárias de medo nas pessoas que estão, de certa maneira, "subordinadas" a outras.

Quando alguém depende de alguma forma de dinheiro ou do emprego, está sujeito a assimilar eventos traumáticos e aceitá-los, criando um sistema de defesa com o medo já introjetado em sua mente.

A desconfiança de empresários e gestores é uma base natural para a construção sutil de um ambiente de medo, e se configura como uma das causas maiores dos problemas organizacionais de motivação. O medo como instrumento de motivação é, na verdade, uma manipulação pactuada.

Em organizações privadas, o mercado gera o medo nos acionistas, que temem perder seus investimentos; estes pressionam os executivos, que, por sua vez, têm medo de perder seus cargos, bônus e prestígio, colocando assim uma pressão forte nas hierarquias abaixo e gerando uma onda de medo, provocada pela necessidade de se atingirem metas e obter melhores desempenhos. O medo vem de fora e atinge quem está no comando em uma organização.

Em seu livro *Gerentes poderosos*, Peter Block citou que o comportamento burocrático leva os funcionários ao medo pelos seguintes fatores:

- há a obrigatoriedade de eles estarem submetidos a uma autoridade;
- é nula a capacidade de se autoexpressarem;
- espera-se que eles se sacrifiquem por recompensas não muito claras;

☐ espera-se que compreendam as exigências excessivas que lhes são impostas.

Muitas organizações ainda vivem um modelo de relação patrão/empregado, e esse modelo fomenta naturalmente o medo. Esse medo gera custos, mas boa parte das empresas não sabe como identificá-los em suas planilhas contábeis. Mas eles existem e muitas vezes são bem representativos.

Muitos medos surgem também da relação chefe/empregado, pela inabilidade de o próprio ser humano lidar com comportamentos e desempenhos. E o reflexo disso se traduz em "ameaça", que é utilizada como instrumento de resultados e mudanças.

Muitas pessoas em posição de liderança acreditam que resultados vêm de ameaça ou pressão somente. Ameaça também se manifesta na palavra "se", como nos exemplos a seguir.

Se você não atingir as metas...
Se você não mudar tal atitude...
Se você não conseguir resolver tal situação...

O problema é que esse método, normalmente, tem um efeito imediato que parece positivo. Pessoas que precisam do seu emprego irão se submeter facilmente. Mas a pergunta que fica é a seguinte: isso veio dela ou veio de fora? Se surgiu de fora, não é dela, não é autêntico, não é verdadeiro; e, se não é verdadeiro, não é duradouro. Daqui a pouco, outra pressão será necessária. E outras mais, até que o sujeito opere sempre esperando a ameaça ou fugindo dela. Uma pessoa que trabalha evitando erros ou ameaças é como um atleta que corre olhando para trás, com medo de o outro ultrapassá-lo, ao invés de olhar para frente, focando a vitória.

Não afirmo que não devemos jamais fazer isso, mas a força e a pressão por resultados imediatos nos levam a usar esse sistema como método de gestão de pessoas. E, assim, começamos a disseminar o medo como único instrumento de mudança.

Muitas pessoas têm mais medo de perder do que vontade de ganhar. Enquanto o medo de perder for maior do que a vontade de ganhar, o foco estará sempre em lutar/fugir, ao invés de em enfrentar/superar.

O FATOR FRANQUEZA

Outro fator que impede progressos relevantes nas organizações é o medo de falar francamente. Muitas pessoas têm receio da franqueza, pois são poucos os líderes que têm maturidade e equilíbrio para lidar com ela. E por que as pessoas não falam francamente?

O primeiro fator é o medo das repercussões, segundo uma pesquisa feita por Katheleen Ryan e Daniel Oestreich. O segundo é que muitas pessoas acreditam que nada mudará. Um terceiro aspecto é que muitas pessoas procuram evitar o conflito. E o último é uma forma de não trazer problemas para outros. A conduta de gestores e líderes pode levar à construção do medo, por mais simples, direta ou sutil que possa ser:

- silêncio pode gerar medo;
- olhares censuradores;
- insultos;
- humilhações;
- agressões;
- punições;
- gritos;
- murros na mesa;

- descontroles emocionais;
- tom de voz ríspido e seco.

Todos esses e vários outros comportamentos estão muito presentes na cultura de gestão atual. Esses comportamentos dizem simplesmente que o líder está com "medo", e, na cabeça inconsciente dessas pessoas, medo se trata com medo! Quando criamos medo nos outros, isso representa nada mais do que uma transferência do nosso medo para eles.

É uma atitude inconsciente, porém covarde. E é isso que tem garantido boa parte dos resultados operacionais de muitas organizações. Mas as perguntas permanecem: até quando? A que custo?

Acionistas de empresas não se interessam por esses assuntos, mas os dirigentes precisam entender que os funcionários são pontes e pessoas talentosas que, com o passar do tempo, não se submeterão a esse tipo de pressão por resultados baseados no medo.

Resultados são necessários e até mesmo inegociáveis; os lucros garantem a sobrevivência de uma organização, mas, repito, o medo tem custos, explicitados nos itens a seguir:

- cinismo;
- criação de feudos;
- formação de grupos e clubinhos;
- politicagem;
- decisões erradas e, até mesmo, indecisões ou adiamentos;
- saída de talentos;
- ressentimentos e funcionários trabalhando contra;
- autoproteção;
- retenção de informações, gerando centralização e lentidão;
- absenteísmo;
- boatos de corredor;

- metas não cumpridas;
- doenças frequentes;
- reuniões das quais ninguém participa;
- falta de criatividade;
- falta de iniciativa;
- gastos maciços em treinamento ou retreinamento;
- retrabalho;
- falta de comprometimento;
- mau uso do tempo;
- resistência a *feedbacks*;
- brigas internas;
- clima tenso e erros.

Agora, sugiro ao leitor que faça as contas das implicações desses fatores em sua organização!

OS CINCO GRANDES MEDOS

Aqui identificaremos os cinco grandes medos que travam nosso processo de fluidez como seres humanos em evolução. Isso não significa que não haja outros tipos de medo. Existem, sim, com muitas facetas e naturezas. Vamos tratar destes cinco porque eles têm um impacto efetivo e imediato em nossa fluidez, de maneira mais forte do que podemos imaginar.

- Medo da grandeza
- Medo da espiritualidade
- Medo da morte
- Medo de não ser aceito
- Medo da solidão

Medo da grandeza

> *Nosso medo maior não é o de que sejamos incapazes. Nosso medo maior é de que sejamos poderosos além da medida. É nossa luz, não nossa escuridão, que nos amedronta.*
>
> **Nelson Mandela**

Um dos grandes medos dos seres humanos é o temor de ser alguém mais grandioso do que é. Muitas vezes nos perguntamos: "Quem sou eu para ser isso tudo?". Minha pergunta para o leitor é a seguinte: "Quem é você para não ser?".

É liberando nossa própria luz que ajudamos as pessoas a liberar a delas. Nosso mundo cultivou uma sociedade competitiva, em que a comparação fragmentou o ser humano e incutiu nele um sentimento de separatividade generalizado, como se estivéssemos separados de tudo. Não estamos. Tudo está conectado. Absolutamente tudo. Os seres humanos têm medo de ser grandiosos e de não sustentar sua grandeza. Assim, a principal pergunta é esta: "O que está por trás disso?".

Caro leitor, sua grandeza toca a minha. Acredite, você foi feito de luz, da mais pura luz. Sua alma e seu ser são grandiosos e transcendem tempo e espaço. Seu corpo está preso neste plano, mas sua mente e seu coração, não. Sua expansão se dá pela mente e, principalmente, pelo coração.

> *Não aceite o medo dos outros. Ignore as críticas, pois é fato que, quando nos tornamos e nos sentimos grandes, as pessoas em nossa volta que não querem ser grandes vão se incomodar e tentarão, não talvez por maldade, mas por medo, trazê-lo de volta ao que era. Não compre isso, concentre-se em você e seja compreensivo com essas pessoas que decidiram ficar onde estão. Talvez elas não estejam prontas ou não queiram. Mas não deixe de andar por causa delas, pois seu*

caminho não é o delas. Trilhe-o; esta é sua responsabilidade. Mas lembre-se de que sua evolução estará no fundo registrada nas mentes de seus amigos e colegas, e um dia eles utilizarão seu exemplo e farão o que deve ser feito com suas vidas e comportamentos.
Marciniak

A GRANDEZA NÃO É O FIM

Quando olho para trás, vejo quanto sou grande. Quando olho para frente, vejo quanto sou pequeno.
Louis Burlamaqui

Não pense o leitor que sua evolução e sua grandeza têm limites, pois não têm e jamais terão. Elas serão sempre portais para uma próxima jornada. Portanto, acesse sua grandeza, permita-se sentir medo, pois não há nenhum mal nisso, descubra o que seu medo lhe informa e, depois, deixe-o ir, pois ele é pura ilusão de seu ego.

Não permita que a crítica alheia o impeça de se manifestar grande. Manifestar seu ser, sua luz. Muitos tentarão impedir isso por meio de comentários, de críticas. Não os leve em conta. Concentre-se em você e lembre-se de que, a cada conquista, novos níveis surgirão. O tempo vai lhe mostrar, e aos outros também, que grandeza é evoluir sempre.

MEDO DA ESPIRITUALIDADE

Atitudes geram sentimentos. Com a mente do ego, temos chances de gerar sentimentos baseados no medo; com uma atitude espiritual, podemos gerar sentimentos baseados no amor.

Stanislav Grof afirmou em um congresso que, se o indivíduo tiver uma experiência mística, de comunhão, se o mistério bater à sua porta e ele procurar um sacerdote, padre ou pastor convencional, será levado ao psiquiatra. Se falamos com Deus, estamos orando; se Deus fala conosco, somos loucos. Será que isso é justo?

A religião tem sido um caminho e um muro, dependendo do momento e de quem a conduz. Muitos missionários, padres, pastores questionam experiências místicas, mas o estranho é que eles falam e pregam exatamente sobre fenômenos similares ocorridos há mais de dois mil anos. Mas, se alguém tiver alguma experiência similar, há algo de errado, como se não pudesse mais existir isso no planeta. Será que o mundo parou naquele tempo? Será?

É claro que existe uma lógica por trás do que é "aparentemente errado". Algumas religiões têm muito medo de perder seus fiéis.

Medo é tratado com medo. Por isso, muitas pessoas tendem a sentir medo de reconhecer uma experiência maior, espiritualista, paranormal ou mística. É o medo incutido pelos falsos mestres ou orientadores religiosos. Mestres não ensinam pelo medo. Todos os grandes mestres da humanidade – Jesus, Buda, Maomé, Sai Baba, Dalai Lama, Babaji –, dentre outros milhares, eram e são seres do amor, eles libertam as pessoas; bem diferente do que ocorre hoje, com os indivíduos aprisionados em modelos fundamentados em interpretações e convenções.

O medo não tem espaço no amor. É fácil identificar um pastor, um padre, um orientador espiritual alinhado com a espiritualidade: ele não nos incute medo em nenhum momento. Basta nos conectar com seu sentimento e ver se sentimos medo ou não. Assim, saberemos se esse guia, padre ou pastor é verdadeiro ou não para nós.

O grande ponto sobre o medo da espiritualidade é que, no fim das contas, o propósito da humanidade é a evolução espiritual. Religiões alinhadas com Deus unem as pessoas, não as separam; ajudam-nas a se aceitar, a não se julgar, a despertar nelas a humildade, não a arrogância de deter a verdade, a entender que tudo é uma coisa só e que nós fazemos parte do todo.

Nós não somos um corpo humano com uma alma, mas uma alma dentro de um corpo humano. Somos uma alma. Somos seres espirituais em uma experiência humana. Por que ter medo de ser quem realmente somos?

Se o fator espiritual for negado, isso tem consequências sérias para um ser. A divindade reprimida é um empecilho para os avanços de uma sociedade mais consciente. Aqui reside o aprisionamento do progresso planetário.

Uma religião ou doutrina espiritual é como um barco que nos leva ao outro lado da margem para que possamos continuar nosso caminho. DEUS ou a ENERGIA DIVINA NÃO É BARCO! Por isso, o cuidado com os falsos gurus deve ser maior. O verdadeiro mestre é como um poço artesiano, onde cada um vem e sacia sua sede, recupera a energia para seguir o seu próprio caminho, e não para ficar dando voltas em torno do poço!

Lembre-se, caro leitor: você não é um ser humano buscando a espiritualidade, mas um ser espiritual tendo uma experiência humana. Lembre-se disso! Religião é religar-se com Deus. Você pode se conectar diretamente com Deus por meio da descoberta da sua espiritualidade. Ela está em você, disponível para você, sem nenhuma interferência. Você pode acioná-la. Sozinho ou com ajuda, a espiritualidade pode ser acionada, e você verá que é o verdadeiro dono de si mesmo. Ninguém mais terá o direito de lhe dizer o que é certo e o que é errado. Quando estamos conectados com a espiritualidade, com Deus, com a energia divina, a verdade nos é revelada pelo coração. A verdade não pode ser dita, nem ouvida, somente sentida. Assim sendo, você tem aptidão para escolher o melhor caminho para a sua jornada.

Não estamos mais num mundo em que procuramos ou precisamos de um mestre, apesar de eles estarem sempre disponíveis se sentirmos ainda essa necessidade. Esse tempo (da dependência) já acabou. Nós seremos nossos próprios mestres. Que o leitor grave minhas palavras: você será seu próprio mestre, mais cedo ou mais tarde. Este é o novo tempo e esta é a boa-nova da energia que nos é concedida.

Questionemos, portanto, aqueles que dizem que todos precisam de um mestre. Será essa uma maneira de nos levar aos domínios deles? Uma alimentação egoica? Um mestre jamais diz que precisamos de um mestre. O que é simplesmente é.

Se for seu caminho, caro leitor, descubra o mestre em você. Libere esse medo!

MEDO DA MORTE

Nossa! Você deve estar se perguntando: temos que falar da morte? Que tema pesado, triste. Asseguro-lhe que vamos abordá-la de uma maneira ampla e realística, como ela merece ser tratada.

Podemos enxergar, como morte, a morte de muita coisa, ou mesmo a perda. Por exemplo, o impulso de querer agradar às pessoas pode ser uma dinâmica forte e muito influenciada pelo medo da perda. Nesse caso, a perda do convívio ou da aceitação do outro pode ser uma "morte".

Uma pessoa passa a acreditar que não tem condições de viver sem o que ela acredita que está prestes a perder e, assim, assume papéis que lhe rendem uma aprovação imediata, admiração, atenção ou até mesmo o amor de alguém. Tudo proporcionado pelo medo da perda. Sob o aspecto emocional, é como se fosse uma questão de vida ou morte. Essa, aliás, é uma das facetas do medo da morte. Impulsiona-nos a criar uma série de padrões de defesa e manipulações de nossa personalidade.

Já sob o aspecto da morte do corpo físico, o leitor já parou para pensar que muitas pessoas vivem como se a morte nunca fosse chegar?

A crise da meia-idade tem um aspecto ligado à percepção de que somos falíveis e tudo vai acabar! Por isso, muitos indivíduos começam a revisar toda a sua vida em determinado momento. É assim que muitas decisões mais radicais são tomadas, como saldo disso. Vivemos como se a morte não fizesse parte de nós.

Evitamos falar de morte, evitamos ver pessoas mortas. Mas, na verdade, temos dificuldade de enfrentar o que nos espera!

É muito comum encontrar pessoas com certezas sobre absolutamente tudo, mas, se pararmos para pensar, nada é certo! Nossa casa, família, amigos, bens, terra, esposa, marido, filhos não são nossos. Eles apenas estão na nossa vida.

Por isso é importante acordar! Nós estamos com as pessoas e com as coisas! Tudo nos pode ser tirado. Até mesmo nossa vida! Para os que gostam de afirmar que têm certeza de tudo, quero oferecer três fatos irrefutáveis:

- um dia, todo mundo vai morrer;
- um dia, esse dia vai chegar;
- no dia em que esse dia chegar, o sujeito não poderá fazer nada para impedir.

O resto, basicamente, é passageiro. É aprendizagem pura. Viemos para aprender com as experiências programadas para nós.

Por que falo sobre morte? Porque chegou o tempo de olharmos para ela de outra forma. Ela é apenas uma passagem. Não existe a morte no aspecto do ser, apenas da carne. E ainda há uns que dizem que isso também pode não ocorrer! A vida, nesses termos, só existe porque existe a morte. O tempo, entendido nessa dimensão, existe porque temos um início e um fim. As frequências mudam, porém nós somos imortais. Reconhecer nossa imortalidade é mudar completamente o cenário de perspectiva em que vivemos. O fim é o princípio de um novo início e, assim, a vida prossegue...

Mas o leitor deve estar se perguntando por que insisto em falar sobre a morte. Simplesmente porque é o medo dela que nos leva a criar um mundo de crenças e problemas para nós mesmos. Criamos defesas, não arriscamos, não ousamos. É o medo de acabar!

Existem muitos tipos de mortes. Morte de uma relação, morte

de um negócio, morte de uma etapa da vida. Muitas pessoas, quando não aceitam que uma fase da vida se encerrou, tentam revivê-la. Assim criamos a falta de maturidade. Amadurecer é simplesmente entender que uma etapa da vida acabou, morreu, e que precisamos nascer para outra. No entanto, é comum encontrarmos pessoas aos 40, 50 anos, querendo ainda viver como se tivessem 20, usando roupas, linguagem etc. fora de seu tempo. Isso, quando ocorre, é um sinal de que essa pessoa ainda precisa viver aquela idade e que não a deixou morrer. Aceitar a morte das etapas da vida é também saber morrer. É amadurecer.

Você deve estar conjecturando: mas não ter medo de morrer leva muitas pessoas à morte por ações inconsequentes! Eu sei bem disso, pois já fui muito inconsequente, a ponto de colocar a minha própria vida em risco. Ser consequente é fundamental, mas sem medo de morrer! Viver conscientemente, sem medo da morte, é o caminho. Temos que ser consequentes, sim! Mas sem temer o dia em que a "vida" decidiu que temos de ir embora ou que algo não deve mais existir!

O medo da morte traz consequências terríveis, como o fortalecimento do ego, e com ele todos os sistemas de defesa são acionados.

A proposta aqui é aceitar que tudo é uma passagem e que a morte é uma ilusão bloqueada dessa passagem. Permita-se, leitor, soltar o que tiver de ir, seja a morte de uma crença, seja de uma relação, de uma situação ou mesmo de uma vida, quando todas as tentativas foram feitas e o fato se consumou. Portanto, libere esse medo!

MEDO DE NÃO SER ACEITO
Na pirâmide da hierarquia das necessidades humanas, de Maslow, a terceira delas é a necessidade que o ser humano tem de ser aceito, de sentir-se incluído. Alguém já parou para analisar o porquê disso? A razão dessa necessidade é fundamentada no medo, mais precisamente no medo de não ser aceito. Assim, essa falsa imagem

criada na mente, e alimentada por nós, leva-nos a querer sempre agradar aos outros. São nossas crianças internas chorando!

Muitas pessoas usam a artimanha inconsciente de fazer coisas pelos outros, de ajudá-los em excesso (no sentido de fazer algo que o outro deveria realizar por si mesmo), sendo excessivamente corteses e prestativas. O sujeito, nesse caso, muitas vezes é entendido como uma pessoa "boa" nas relações humanas, embora seja uma estratégia psicológica para agradar e ser aceito pelo outro.

Um bom número de pessoas tem ânsia de ser aceito. Normalmente, isso as transforma em seres muito manipuladores, o que é um problema, pois esses indivíduos nunca serão eles mesmos. Em um planeta conflituoso, nem sempre vamos agradar e ter todo mundo em concordância conosco em tudo! Mas muitos se moldam e adaptam sua personalidade para não criar problemas ou conflitos com absolutamente ninguém. Dessa forma, jamais construiremos um mundo verdadeiro!

O conflito faz parte da vida e desse modelo de realidade! O problema não é o conflito, mas a maneira como lidamos com ele! Nós podemos usar o conflito como mola propulsora, seja em uma relação, seja na própria forma de ver a vida! Assim, estamos integrando polaridades.

Uma pessoa que tem a necessidade de agradar está constantemente conferindo como os outros estão se sentindo, para que possa saber como se comportar de forma a ser aceita. Por exemplo, se um indivíduo se sente infeliz e quer ser aceito, procurará não demonstrar isso e ainda tentará fazer com que os outros se sintam bem para não criar mais problemas. Procurará passar um rosto legal para todos.

Um amigo muito querido, com muita honestidade, um dia me disse:

– Louis, eu uso este anel aqui – e me mostrou um belo anel dourado – e tenho uma grande preocupação com o que os outros pensam. Outro dia, estava com um cliente, almoçando, e percebi que ele olhou para o anel. Imediatamente, cruzei os braços porque imaginei que ele havia achado este anel inapropriado! Fico sempre imaginando o que as pessoas estão pensando de mim, do meu anel, das minhas roupas.

Chamo atenção para o fato de que esse amigo é uma das pessoas mais honestas consigo que conheço, pois muitos têm problemas similares e são incapazes de admitir. Sem reconhecer nossos anseios, não evoluímos!

Passamos muito tempo preocupados com o que os outros pensam. Gastamos muita energia com isso. Como fica nosso marketing pessoal? Caro leitor, antes de pensar em seu marketing pessoal, pergunte-se: "Este sou eu? Eu sou verdadeiro comigo? O que tenho e não gosto?". Ao fazer essas perguntas, você poderá primeiro alinhar-se melhor consigo e, depois, ocupar-se de seu marketing pessoal. O marketing pessoal deve ser integral, ou seja, você deve mostrar o seu melhor, verdadeiramente!

Se você está querendo agradar a alguém, pare e diga para si mesmo: "O.k., reconheço que quero agradar, tudo bem, não me culpo. Por que preciso disso? O que estou sentindo para agir assim?". Permita-se sentir o que estiver sentindo, acolha o sentimento e deixe seu coração revelar algo mais profundo. De onde isso vem?

Quando não entendemos o que está por trás, o medo de não ser aceito vai criando uma série de elementos de defesa, que vão se somando até anular a manifestação de um ser no humano. A pessoa vira o molde dela.

Estabelecer relações com pessoas é admitir erros e conflitos; é enfrentá-los, não fugir das pessoas e do diálogo aberto. Portanto, caro leitor, seja você mesmo! Aceite-se como é! Reconheça tudo o que você é hoje! Lembre-se de que já tem a pessoa mais importante deste mundo com você: você e sua essência! Então, libere esse medo!

MEDO DA SOLIDÃO

Segundo Chico Buarque, solidão não é a falta de gente para conversar, namorar, passear ou fazer sexo... Isso é carência. Solidão não é o sentimento que experimentamos pela ausência de entes queridos que não podem mais voltar... Isso é saudade. Solidão não é o retiro voluntário a que a gente se força, às vezes, para realinhar os pensamentos... Isso é equilíbrio. Solidão não é o claustro involuntário que o destino nos impõe compulsoriamente para que reavaliemos a nossa vida... Isso é um princípio da natureza. Solidão não é o vazio de gente ao nosso lado... Isso é circunstância. Solidão é muito mais do que isso. Solidão é quando nos perdemos de nós mesmos e procuramos em vão pela nossa alma.

Nós viemos sós e voltaremos sós. Não significa que tenhamos de viver sozinhos, mas muitas pessoas, com medo da solidão, deixam de ser elas mesmas para se moldar a um modelo acomodado de convivência, a um modelo de adaptação projetada de personalidade. Basicamente, o medo da solidão leva as pessoas a duas realidades: solidão ou anulação.

Quanto mais medo temos, mais ele transforma nossa realidade para que possa ser vivenciado. O medo transforma a realidade em experimento. Nós criamos nossas realidades para que testemos o que, no fundo, desejamos experimentar. Essa construção se dá no mais íntimo do nosso ser e muito poucos têm acesso consciente a ela. Ocorre que esse experimento é criado por nós mesmos para um aperfeiçoamento interior. Ou seja, o sofrimento se torna um meio de aprendizado.

Já a anulação é outro recurso para negarmos nossa intensa necessidade de companhia. A ausência de nós mesmos e a desconexão pessoal levam à falsa percepção de que estamos sozinhos. Não estamos assim, nunca estivemos. Se olharmos para dentro, perceberemos que um mundo riquíssimo habita em nós. Não encontraremos nunca no outro a riqueza que existe em nosso interior. A solidão pode ser um caminho, mas jamais estamos sozinhos! Saiba o leitor, portanto, aproveitar sua solidão para se encontrar consigo. Isso não é fácil para algumas pessoas.

Um amigo em Alagoas confidenciou-me que, para ele, era praticamente impossível ficar sozinho por muito tempo. Ele não suportava o silêncio, que o deixava louco. Perguntou-me, então, o que fazer. Disse-lhe que ele não havia aprendido a conversar com ele mesmo, a olhar para dentro, a se sentir e silenciar a mente. O pânico era uma válvula de escape para seus sentimentos retidos. Recomendei-lhe que se permitisse sentir pânico. Esta seria a porta de saída e o início de muitas descobertas. Tempos depois, ele entendeu o que eu lhe havia dito e me mandou um *e-mail*: "[...] como eu não falava comigo, acumulava muitas vozes que precisavam ser ouvidas. Resolvi ouvi-las! Num primeiro momento, não foi fácil, pois elas tinham ficado mudas durante anos, mas, aos poucos, em silêncio e sozinho, pude ouvir muitas coisas que eu precisava falar... Louis, tudo está mudando, para melhor".

Encontrar suas vozes e seus pensamentos, e deixá-los fluir, é fundamental para uma limpeza interna e para se tornar leve. Assim, você não terá receio da solidão.

O medo da solidão nos leva a acreditar que somos metade e que, portanto, precisamos encontrar a outra porção idêntica. Não existe metade externa. Precisamos encontrar nossa outra metade em nós mesmos para nos tornarmos inteiros! E, percebendo-nos inteiros, passamos a procurar outra pessoa que seja inteira!

Que o leitor pare, portanto, de procurar o homem ou a mulher de sua vida! Procure a si mesmo! Se for o caso, encontrará "a pessoa" para acompanhar sua jornada durante o tempo necessário.

Quando encontramos pessoas inteiras, passamos a ter uma relação mais saudável e madura. Isso não significa que seja para sempre. Afinal de contas, nada é para sempre, nem nós, nem nossas coisas, nem nossas relações.

Na época em que me casei pela primeira vez, na igreja, segundo todos os preceitos pelos quais fui criado e condicionado, o padre me fez jurar que seria "para sempre", enquanto vivêssemos.

Quem faz um juramento desses ou é um profeta ou, no mínimo, uma pessoa que aceita arriscar facilmente sua palavra, pois é muito difícil dizer "para sempre". Eu não queria estragar a cerimônia nem abrir uma discussão com o padre, pois seria imprudente e inapropriado. Então, eu disse à minha mulher bem baixinho:

– Não lhe prometo isso e não espero isso de você.

– Concordo – ela respondeu.

E completei:

– Vamos pactuar que seremos companheiros enquanto a vida assim quiser e nossas vidas estiverem com missões alinhadas?

Ela concordou. Vivemos muito felizes por dez anos e, hoje, ela é uma de minhas melhores amigas. Temos ainda missões conjuntas, porém em outros níveis.

Entender que nossos encontros com outras pessoas podem durar uma vida ou um ano é entender que a vida tem propósitos e que não podemos lutar contra algo que precisa ter fim. Quanto mais insistimos em manter algo que precisa ser encerrado, mais sofrimento trazemos para nós e para os outros. E, muitas vezes, esse sofrimento é desnecessário. Quanto mais integrados estivermos com nós mesmos, mais fácil será perceber com quem devemos estar, e o tempo que cada relação requer. É preciso compreender que cada relação tem um tempo. Às vezes, esse tempo até pode durar toda uma vida. Quando uma porta se fecha, outra sempre se abre. Enquanto não acolhermos nossos medos, eles ficarão em nós. E garanto que eles adoram estabelecer raízes.

O medo é dissolvido em um nível celular. Depois de um tempo, esse medo liberado, essa memória e esse padrão desaparecem gradualmente e o DNA começa a mudar. Portanto, caro leitor, se quiser liberar seu ser, libere seus medos. Deixe-os ir. Assim, você retomará seu ser, sua presença e sua vida.

PACTO 2

LIBERE SEUS MEDOS

Chaves para identificar e liberar medos

Passo 6: Lembre-se de respirar e permitir-se sentir.

Passo 7: Torne-se observador da experiência que está vivendo.

Passo 8: Vá ao encontro do medo.

Passo 9: Permita que os dramas que chegam passem "por" você e não fiquem "em" você.

Passo 10: Reconheça e libere os cinco grandes medos para ter uma vida fluida.

PACTO 3

ACEITE QUE NADA É SEU

Quando uma pessoa não consegue mais sentir a vida que ela própria é, em geral tenta preencher sua existência com coisas.

Eckhart Tolle

O TER, O FAZER E O SER

Nossas vidas são comandadas por uma relação em cadeia muito frequente: ter, fazer e ser. Desde a infância, somos condicionados a realizar coisas para ter. Temos que ter boas notas, boas relações, bons modos. Quando jovens, queremos ter relações pessoais, namorados, namoradas, conhecimento, dinheiro. Quando adultos, ter emprego, *status*, carro, uma família, filhos, casa, empresa, emprego, roupas legais, amigos, propriedades etc.

Lamento, leitor, informar-lhe que nada, absolutamente nada é seu. Sua esposa ou seu marido não lhe pertence. Seu carro não é seu, por mais que os documentos provem isso. Seus filhos não são sua propriedade; eles são filhos do Universo e você tem uma responsabilidade com esses seres. Sua casa não é sua, mesmo que a escritura constate isso. Nada é seu. Tudo está temporariamente com você por algum motivo. O ego tende a unir o ter com o ser: tenho; portanto, sou.

Você pode gritar e espernear, dizendo que suas coisas são suas, e eu vou simplesmente afirmar que, se existir uma vontade maior divina que resolva lhe tirar tudo, basta que ela acione o botão de sua retirada deste planeta para que perceba que tudo ficou e você se foi. A morte lhe tira tudo. Você fica com a experiência e as evoluções. Pessoas, coisas, matérias, nada é seu. Entender e, principalmente, aceitar que você não é dono de nada e de ninguém é o pacto mais poderoso de libertação que você pode fazer consigo.

Isso não significa que as coisas e as pessoas não tenham valor. Muito pelo contrário. Tudo tem valor, desde que entendamos que estamos com isso, e isso não é nosso.

Certa vez, em um retiro de meditação, ouvi um colega dizendo para outro:

– Comprei um terreno e agora sou dono de uma propriedade.

– Quem garante que você é dono de alguma coisa? – provocou um outro.

– Minha escritura.

– E se sua escritura cair no rio e o cartório pegar fogo? Quem garante que você é realmente o dono?

– É verdade, ninguém pode garantir. Agora percebo que não sou o dono, mas que "estou" dono...

Este breve diálogo causou-me um bem-estar imenso, pois pude constatar também que tudo que tenho em minha vida é um estado, não uma condição eterna.

Numa outra ocasião, acalentando um bebê, uma mulher perguntou a Gibran Khalil Gibran:

> *– Fale-nos sobre os filhos.*
> *– Teus filhos não são teus filhos. Eles são os filhos da Vida, que anseia por si. Eles vieram através de ti, mas não de ti. E, a despeito de estarem contigo, não te pertencem. Tu podes dar-lhes teu amor, mas não teus pensamentos, pois eles têm seus próprios pensamentos. Tu podes hospedar seus corpos, mas não suas almas, pois suas almas habitam a casa do amanhã, que tu não podes visitar, mesmo em teus sonhos. Tu podes empenhar-te para seres como eles, mas não tentes fazê-los ser como tu, pois a vida não caminha para trás nem coabita com o ontem. Tu és o arco do qual tuas crianças, como flechas vivas, são impulsionadas – e então conclamou: – Arqueiro, vede a marca sobre a trajetória do infinito e dobra-te a teu poder para que tuas flechas sigam velozes e para longe. Deixes que a flexão da tua mão seja para o contentamento e a felicidade. Pois, assim como Ele ama a flecha que voa, ama também o arco que é firme.*

Meu filho não é meu. Ele é do mundo. Minha organização não é minha; ela está para mim nestes tempos. Minha família não é minha. Essas pessoas estão comigo neste momento de minha vida. Meu carro não é meu; ele está na minha vida hoje e sou responsável por usá-lo. Se eu parar para avaliar, nada é meu. Simplesmente tudo está comigo. Esse entendimento liberta.

A base do sofrimento humano está na identificação com as coisas que temos. Quanto mais queremos o que está à nossa volta, sejam pessoas, sejam coisas, mais sofrimento criamos porque elas não são eternas. É muito difícil entender isso e conseguir livrar-se desse estado de identificação. Por isso, vamos ver sequencialmente as chaves para que possamos estar com as coisas e as pessoas de forma fluida; para que consigamos usufruir de tudo sem nos apegar ou sofrer, e conquistar algo sem o medo de perder.

A DESIDENTIFICAÇÃO DO ESTADO

O leitor pode se perguntar como fazer para se desapegar das coisas. Quer uma sugestão? Procure não fazer isso.

Nossa natureza foi programada para a identificação. As campanhas de mercado fazem isso o tempo todo. Tudo o que construímos à nossa volta precisa, de certa forma, de uma chancela de posse emocional. Essa chancela revigora nosso ego no estado de autorrealização. Quando obtemos o que tanto queremos, temos a ilusão da preservação do *status quo* ou do estado atingido. Seres humanos não gostam da sensação de perda. Mas é no exato momento da sensação de perda que criamos as identificações de posse com coisas e pessoas.

É comum indivíduos comprarem determinado carro porque a imagem daquele veículo foi construída visando um determinado público com um padrão social de comportamento específico. É fácil, de certa maneira, criar identidades em pessoas fragmentadas, que se iludem com um modelo do que elas pensam que são. Assim, sentem-se confortáveis por terem aquilo que reforça o que imaginam que são.

Essas identificações nos trazem dor, pois, na realidade, nada nos pertence e, portanto, a sensação de perda vai existir em algum momento. Mas é exatamente esse motivo interno, oculto, que nos leva a nos apegar ainda mais às coisas e às pessoas. Quanto maior o apego, maior o sofrimento e a distância do entendimento sobre nós mesmos, porque passamos a achar que somos um pouco de tudo que existe à nossa volta.

É comum ver pessoas tristes, angustiadas ou deprimidas saírem às compras! Compram tudo, acreditando que uma roupa ou um sapato trará a alegria de volta. Em um primeiro momento, a nova aquisição pode até criar esse sentimento, mas inevitavelmente essas pessoas retornarão ao estado anterior porque não são as coisas que podem melhorar nosso estado de ânimo, e sim nós mesmos.

O processo de libertação só acontece quando começamos a nos desidentificar das coisas que temos à nossa volta. Vamos ver em seguida como fazer isso.

MUDANDO O "É" PARA O "ESTÁ"

Existe um processo simples de recodificação processual mental. Ou seja, a maneira como processamos as coisas em nosso cérebro. Nossas palavras contêm as chaves para mexer no código mental. Por exemplo, quando dizemos "essa fazenda é minha", estamos reforçando o estado de posse e, com ele, a identificação. Se quisermos mudar, nos libertar do estado de posse, poderemos começar a dizer que "essa fazenda está sob meu comando, sob minha responsabilidade" etc. Quando interpretamos tudo o que temos em nossa vida como "estados transitórios de responsabilidade", simplesmente entramos em um nível energético de alta liberação mental e emocional. Tornamo-nos mais livres e menos pesados. Isso não significa – e que isso fique bem claro – que não sejamos responsáveis por nada ou que nada seja nosso. Tudo o que temos continua sob nossa tutela; o que muda é a nossa relação mental e emocional com o que temos.

A partir do momento em que percebermos verdadeiramente que estamos com as coisas, teremos muito mais condição de honrá-las e de viver intensamente. Quando entendemos que estamos com as pessoas, encontramo-nos mais aptos a usufruir de seu convívio com muito mais gosto e ternura.

Se entendo que estou com minha empresa, tenho muito mais consciência da minha responsabilidade de conduzi-la bem. Se entendo que estou nessa função ou nesse cargo, tenho o dever de honrar e cumprir o dever acordado e estabelecido. Entender que estamos com pessoas e coisas, de forma desindentificada, é uma maneira poderosa de adquirir uma responsabilidade consciente por nossas escolhas e por aquilo que está nesse momento em nossas mãos.

EU TENHO ISSO, EU NÃO SOU ISSO

Certa vez, um conhecido aproximou-se de mim e compartilhou:
– Louis, eu abri mão de tudo, família, bens, roupas etc. Não tenho apego a mais nada. O que você pensa disso?
– Isso é apego – respondi lucidamente.
– Como assim, se larguei tudo?
– Largou por quê?
– Para me dedicar à vida espiritual.

– Você acabou de largar tudo por outro apego. Você não entendeu o que é desapego. Mas viva seu processo e um dia vai compreender melhor esse aspecto – concluí.

Deixar tudo por alguma coisa não é desapego. Podemos soltar tudo, mas isso não significa descartar as pessoas que nos amam, nosso trabalho, nossos bens ou nossas roupas, como essa pessoa fez. Desapego é saber lidar com tudo o que temos, apenas entendendo que isso não é nosso, mas está conosco. Podemos continuar a ter tudo o que temos, mas sem identificação.

Esse meu amigo poderia muito bem estar com tudo e também com sua vida espiritual. Mas ele precisa descobrir isso por si mesmo.

EXERCÍCIO DO DESAPEGO

Se alguém quer ser livre, fluido e feliz, precisa estar desapegado. Estar desapegado não significa abrir mão das coisas, tirar o valor delas ou, mesmo, abandoná-las. Não é nada disso. Significa entender o que é transitório e o que é permanente neste mundo.

Quando percebemos isso, fica mais fácil lidar com perdas de pessoas, coisas, bens etc. Isso é parte da vida. O sofrimento aparece quando nossos processos de identificação e posse estão arraigados de forma profunda.

Exercitar o desapego é uma forma excelente de aproveitar melhor as pessoas, as coisas e os momentos que vivemos. Isso ocorre quando entendemos que as perdas existem e que tudo é passageiro. Se o indivíduo, por exemplo, aceita que sua esposa não é sua e que não há garantias de que estará com ele por toda a vida, tratará de aproveitar muito mais os momentos que tem com ela. Nossa vida se entedia exatamente porque achamos que tudo é permanente.

Quantas vezes o leitor viu pessoas que perderam entes queridos se arrependerem de não tê-los aproveitado mais ou de não terem vivido mais intensamente? Quantos filhos descobrem seus pais depois que eles já se foram?

Quanto mais apegados estamos, menos vivemos, menos aproveitamos, menos somos. Quanto mais desapegados, mais desfrutamos das pessoas e honramos as coisas que temos em nossas vidas.

Por isso, "honre cada situação de poder e posse que tem".

O FATOR TRANSITÓRIO E O PERMANENTE

Uma poderosa chave para praticar o desapego é usar o exercício da lista dupla, que é muito eficaz.

Sugiro que o leitor faça uma lista de tudo que possui: seus bens, pertences, pessoas de seu relacionamento etc. Agora, separe em duas colunas o que é transitório e o que é permanente. Lembro que transitório é tudo que um dia acaba, perece. Permanente é o que permanece.

Após completar uma coluna, peço-lhe que faça a seguinte pergunta: até que ponto isso é realmente permanente? Por exemplo: seu corpo físico é transitório ou permanente? Diante dessa indagação sobre seu corpo físico, cabe a reflexão: um dia ele perecerá? Se for o caso, é transitório. Não adianta querer ser racional e associar o permanente ao concreto palpável. Esse é o truque da ilusão maior: atrelar mentalmente o concreto ao permanente. Até o que é concreto, como o material bruto, pode ser destruído e, portanto, é transitório.

Tudo que é transitório e que identificamos com sendo "eu" ou "meu" não gera felicidade consistente e, mais cedo ou mais tarde, trará sofrimento. O transitório traz sofrimento, mas lembre-se também de que o sofrimento é igualmente transitório.

O CONCEITO DE "MEU"

Há uma verdade budista sobre coisas neste mundo que ninguém pode realizar:

- primeiro, evitar a velhice quando estamos envelhecendo;
- segundo, não morrer quando o corpo está para morrer;
- negar a dissolução, quando de fato há a dissolução do corpo;
- negar a extinção, quando tudo deve extinguir-se.

Apegar-se a algo por causa de sua forma é uma fonte primária de ilusão. A grande chave é entender que as pessoas, as coisas estão presentes em nossas vidas. Na verdade, tudo é um presente precioso.

Se o leitor passar a perceber a joia preciosa que tem à sua volta, perceberá também os presentes divinos manifestados em sua vida. Use seus presentes, desfrute-os, aprenda com eles, mas lembre-se de que eles não são seus e não são você. Se conseguir manter a lucidez de que nada é seu, terá a honra de viver a abundante lista de presentes oferecidos pelo Universo exclusivamente para você.

VIVER COM BASE NO DESAPEGO

Quando estamos livres e entendemos em nossos corações que as pessoas não são nossas, e que as coisas estão provisoriamente conosco, compreendemos a beleza do viver. Sabemos que cada minuto de nossas vidas é um milagre precioso que envolve nossos corações. Que cada bem material é um presente, naquele instante, que nos traz prazer, beleza e bem-estar.

Portanto, que o conforto seja bem-vindo em nossas vidas, pois ele *está* e não *é* nossa vida. Que a abundância reine, porque sabemos curti-la e aproveitar cada momento. Que cada sofrimento e crise sejam muito bem aproveitados, pois eles também são provisórios em nossas vidas.

Ser uma pessoa fluida é estar livre para viver tudo o que precisa ser vivido, como se fosse o último dia.

PROSPERIDADE E ABUNDÂNCIA

Muitas pessoas, quando decidem viver este pacto, aceitando que nada é seu, adotam uma postura de não mais se relacionar com dinheiro, posses e prazeres. Isso não condiz com a condição do Universo. O nosso Universo – ou multiverso, como veremos à frente – é cheio de prosperidade e abundância. A natureza é farta e generosa. Como seres deste mundo e pertencentes à natureza, também merecemos toda prosperidade, dinheiro, bens e abundância em nossas vidas. Ter o sentimento de merecimento atrai o fluxo da prosperidade para nós. Quero apenas lembrá-lo, caro leitor, da essência de nossa relação com tudo o que adquirimos. Traga prosperidade e abundância para sua vida sem se identificar com elas. Isso o coloca em um estado de poder sobre você mesmo, dentro de sua presença.

VIVA COMO SE FOSSE O ÚLTIMO DIA DE SUA VIDA

Para viver como se fosse o último dia de sua vida, o leitor simplesmente poderia agradecer por alguns "presentes" recebidos:

- a casa que o acolheu neste período;
- o carro que o serviu;
- a comida que fez parte de seus cardápios;
- as pessoas que o serviram;
- as roupas que o vestiram;
- o trabalho que lhe deu ensinamentos e base;
- os colaboradores, chefes ou sócios que teve;
- as pessoas que foram seus familiares;
- aqueles que decidiram estar com você como seus amigos;
- toda tecnologia que possa ter feito parte de sua vida;
- a você, por ter tido a sabedoria de aproveitar tudo isso, de forma mais profunda, exatamente porque entendia que era tudo passageiro.

O SOFRIMENTO COMO MEIO DE VISÃO AMPLIADA

Viver sem alegria, sem amor e sem dor não é viver. A dor da despedida, da perda, da separação, da ansiedade, dentre outras, é apenas reflexo de algo que devemos sentir em nosso íntimo.

Será que a dor ensina? Sim, ensina. O sofrimento é a dor na alma, na essência do nosso ser. Na verdade, ele quer nos proporcionar reflexão e maturidade com mais consciência.

Um amigo se separou recentemente de sua mulher e, quando a viu com outro, entrou em um sofrimento doloroso. Ele me confidenciou que seu corpo doía, seu coração batia acelerado e entrou em uma profunda confusão mental de sentimentos e anseios. Após três dias naquele estado, ele começou a refletir sobre o que estava sentindo e passou a rever toda a sua vida com aquela mulher; o que tinha sido bom, o que não tinha, seus verdadeiros sentimentos, e resolveu buscar uma razão para tudo aquilo ter acontecido. Ao longo de suas reflexões, passou a se dar conta de uma série de situações que vivera com sua mulher e que deixara passar, sem reparar. Começou a perceber, então, que não era uma pessoa alerta, ligada às coisas à sua volta, nem em relação a ele mesmo. Depois de um tempo, ele me disse:

– Louis, o sofrimento nos leva a um estado de alerta fundamental para a vida.

Concordo com ele. A ausência de consciência das ações leva-nos à perda desse estado de alerta. O sofrimento vem para nos educar, ensinar, para nos forçar a rever nossos conceitos, nossa vida, nosso estilo e nossa forma de ser, moldando-nos a essência e o caráter.

Muitas pessoas, inconscientemente ou não, escolhem o caminho do sofrimento para seu processo de aprendizagem. Às vezes, alguns insistem em repetir coisas que os fazem sofrer, simplesmente porque, na verdade, não sofreram o suficiente para aprender o que precisa ser aprendido.

Todo o nosso sofrimento começa pelos nossos desejos. O ato de desejar e querer algo já coloca o indivíduo em uma situação vulnerável, em que a frustração e a perda, por exemplo, podem com certeza existir. Na música "Por enquanto", de Renato Russo, podemos perceber esse sentido: "[...] se lembra quando a gente chegou um dia a acreditar que tudo era pra sempre, e pra sempre... sempre acaba."

As únicas coisas que não mudarão neste mundo serão as mudanças e o fato de que um dia deixaremos este plano existencial. Enquanto existirmos, o sofrimento poderá fazer parte momentaneamente de nossas vidas, mas, se deixarmos a porta aberta, ele entrará novamente.

É preciso que nos liguemos em viver conscientemente, em aproveitar as pessoas enquanto as temos, em buscar nossa essência, amar de forma incondicional, realizar nossa missão e encontrar a alegria da vida. O sofrimento vai sempre nos conduzir a um aprendizado e a um estado mais alerta, mas o amor cura todas as doenças e os males de que podemos padecer.

Quando sofrer, transcenda o sofrimento, resgatando o seu ser, e agradeça-lhe, pois você o pediu e ele sempre vem para ajudar.

LIVRE-SE E AJUDE OS OUTROS A FAZEREM O MESMO

Estar livre e desidentificado não o torna totalmente livre se, ao seu redor, os outros também o virem como posse deles. Às vezes, queremos tanto as pessoas em nossa vida que criamos uma prisão para nós mesmos. A conquista do outro pode se tornar uma prisão. Esse encarceramento se dá, muitas vezes, por dependência e ciúme, dentre outros aspectos. Se o leitor deseja realmente viver de uma forma plena e livre ao lado das pessoas que ama, ajude-as a se tornarem livres e independentes de você. Isso é desapego, isso é amor e isso é nobre.

O INCÔMODO TRANSITÓRIO NÃO DESAPARECE FACILMENTE

O incômodo transitório também existe em nossas vidas. Às vezes, ele pode ser duradouro e longo. Não existem regras. Recebemos o que precisamos e criamos. Assim como temos as coisas ou pessoas transitórias que nos dão prazer e alegria, temos também nossos dissabores, sofrimentos e problemas. Essas coisas são transitórias, mas não adianta querermos despachá-las rapidamente. Imaginar que a transitoriedade nos livra de nossos incômodos é fechar os olhos para um grande tigre faminto à nossa frente e acreditar que ele não está ali. Esse é o nosso desejo, mas nem sempre é assim que as coisas acontecem.

Os incômodos não chegam a nós gratuitamente e nem se vão com facilidade. Tudo que ocorre foi criado por nós por algum motivo. Se vivemos um sofrimento há um bom tempo e pensamos que isso já durou muito, estamos vivendo uma situação transitória, porém longa. O transitório que se manifesta demoradamente quer nos ensinar algo. Enquanto não aprendermos as lições necessárias, a situação permanece. E, se tentarmos fugir dela, ela retornará de outra forma para nos trazer a mesma lição. Não há como escapar de uma situação transitória de ensinamento.

Quando o leitor estiver em uma situação difícil, recomendo que, primeiro, entenda que ela é transitória; segundo, que existe uma lição a ser aprendida; terceiro, que não tenha pressa, pois as coisas têm seu tempo e nem sempre é possível assimilar tudo de uma vez; e quarto, descubra a lição que está por trás de tal situação, para poder se soltar desse estado. Eis os quatro passos:

- entenda que o incômodo é transitório;
- tenha em mente que existe uma lição a ser aprendida;
- não tenha pressa de resolvê-lo;
- assimile a lição.

Tudo que é transitório é ilusão. A vida de ilusão começa quando temos apego às coisas. Ser fluido é entender que nada é seu.

PACTO 3

ACEITE QUE NADA É SEU

CHAVES PARA SE DESIDENTIFICAR E VIVER LIVRE

Passo 11: Separe o que é transitório e o que é permanente.

Passo 12: Valorize tudo o que é transitório, entendendo que as pessoas e as coisas estão com você.

Passo 13: Honre cada situação de poder e posse que você tem.

Passo 14: Traga prosperidade e abundância para sua vida sem se identificar com elas.

Passo 15: Ajude as pessoas a se tornarem livres.

PACTO 4

FAÇA SEMPRE O SEU MELHOR HOJE

Gary Zukav, um estudioso de energia, disse que

> *[...] o perfeccionismo é o processo de desconsiderar o que já é perfeito. É uma fuga do poder do momento presente e o medo de senti-lo. O perfeccionismo é um exercício intelectual que desvia as atenções das emoções e impede a exploração do seu poder criativo. Ao buscar a perfeição, você compara diferentes retratos do que poderia ser, em vez de estar presente em relação ao que existe. O perfeccionismo é uma rigidez forçada, que impede o fluxo natural de energia e inteligência.*

Amigo leitor, por ainda viver em um mundo competitivo, é natural interpretar a palavra "melhor" no sentido comparativo. Neste pacto, fazer o seu melhor não significa ser melhor do que os outros. Você não tem que ser superior a ninguém. Isso é uma ilusão da mente, do ego e um padrão social. Você não precisa se comparar a ninguém. Você necessita apenas pensar de forma evolutiva. Se existe uma comparação, deveria ser em relação a você mesmo, caso goste de comparações.

Certa vez, estava jogando boliche com meu filho Lucas e percebi que ele sofria por estar perdendo. Eu já tinha visto essa cena antes: tempos atrás ocorrera comigo!

– Lucas, o que você está querendo agora?

– Quero ganhar de você e vencer a partida.

– Em quem você está se concentrando? – indaguei, ao que ele prontamente respondeu:

– Em você.

– Sobre quem você tem domínio?

– Sobre mim.

– Se fizer o seu melhor e perder, você vai se sentir culpado?

– Não, porque fiz o meu melhor.

– Então! Concentre-se em você mesmo. E, quem sabe, um dia você ganha! Você pode até tomar o outro como referência, mas o foco deve ser você mesmo.

Ele entendeu a mensagem e começou a praticar de imediato. O que me deixou mais feliz é que meu filho passou a sofrer menos nas derrotas naquele dia e a se concentrar mais onde precisava melhorar. Ele sempre vinha para a próxima jogada melhor do que antes. Essa abordagem muda completamente a nossa relação com o sucesso e o fracasso!

Tudo que você realizar na sua vida deve procurar fazer da forma mais perfeita possível. E, sempre que for perfeito, repita para si mesmo: "Eu posso fazer melhor do que isso!". A perfeição é progressiva. Evite comparar-se ou fazer algo baseado no outro.

Muitas pessoas acreditam que a prática e a repetição levam à perfeição. Não necessariamente. Elas levam à fixação de algo, se não estivermos presentes no que fazemos. E a fixação pode não ser o melhor para nós ou o nosso melhor.

Por exemplo, se o leitor for escrever uma carta, escreva-a da melhor forma que puder. Quando estiver lavando seu carro, dê o seu melhor. Se estiver vestindo seu filho, faça o seu melhor. Torne sua ação realmente perfeita a cada momento, dando o melhor de si, sempre!

Nada substitui o exercício da plenitude do momento, que é estarmos totalmente conectados para fazer o nosso melhor a cada momento. Fazer o nosso melhor é viver o hoje e o agora. Sem estarmos conectados com cada instante de nossa vida, nunca faremos o nosso melhor.

PERFECCIONISTAS E SUAS PERFEITAS IMPERFEIÇÕES

Será perfeito querer a perfeição ou a perfeição está na imperfeição? O perfeccionismo é, de certa forma, uma suposição de que o mundo não é perfeito como é.

Quantas pessoas conheci que queriam acertar de primeira na vida! Esforçar-se para não errar cria um imenso esforço. E mais: fazer o melhor não é necessariamente ter que ser perfeito.

Imagine o leitor a seguinte situação: você quer aprender violino e é apresentado ao melhor professor de violino de sua cidade. Você marca a primeira aula, dirige-se à casa dele, ele abre a porta, convida-o a entrar e, ao sentar-se, olha nos seus olhos e diz:

– O.k., serei seu professor, mas existe uma regra se quiser ter aula comigo. Você tem que acertar de primeira!

Ora, tenho absoluta certeza de que você não conseguiria

cumprir o combinado, simplesmente porque o ser humano está aprendendo ou relembrando a cada momento. A beleza da vida é exatamente saber das inúmeras possibilidades do amanhã.

A imprevisibilidade é uma lei do nosso mundo. Tudo muda, tudo passa, nada é constante. É exatamente sobre isso que os perfeccionistas precisam refletir. Esta é a perfeição: mutação.

Muitas vezes não podemos mudar a nossa essência de querer fazer bem as coisas. Acredito que devemos tentar realizá-las da melhor maneira possível. Essa é a base para a melhoria do mundo! Porém, o grande problema de que padecem os perfeccionistas engloba o sofrimento e a carga de responsabilidade e apreensão que eles colocam em tudo, antes mesmo de iniciar as ações. Eles não admitem erros. É uma exigência pessoal.

Mais importante do que acertar é saber lidar com o erro. Em muitos momentos, os erros são inevitáveis. Mas a maneira de lidar com eles, não. Separar a pessoa do erro, atacar situações, não pessoas, são exemplos de atitudes de sujeitos mais centrados no objetivo, sem morrer por ele.

Sugiro a você que pare para pensar sobre sua vida até o presente momento. Você não conseguiria acertar tudo de primeira e aprender tudo que aprendeu da noite para o dia, não é? Então, por que não admitir que o imprevisto, o inusitado, o erro às vezes façam parte de sua vida?

Tratar os erros de forma consciente é uma maneira perfeita de usar a imperfeição. Assim, talvez possamos canalizar nosso perfeccionismo para uma aventura mais pragmática e menos ortodoxa.

Nós adoramos comodidade. Somos seres de natureza preguiçosa. A satisfação, no entanto, é a sepultura da alma. Fica, então, uma dica importante para o leitor: nunca se sinta completamente satisfeito. Saiba valorizar-se e diga: "Foi o melhor que pude fazer hoje! Amanhã, posso fazer ainda melhor!".

Essa é a lei do progresso. Digamos que você foi despedido porque não estava fazendo o seu melhor. A vida é como uma grande fábrica na qual somos operários. Se a vida vê que você não está fazendo bem o seu trabalho, ela lhe dá um safanão. Não é seu patrão que o está cutucando, é a vida. Se você não está obtendo resultados, provavelmente não está dando o seu melhor. Dar o seu melhor não significa trabalhar muito e pesado. Essa é uma crença falsa e antiga. Mesmo se perder o emprego tendo se dedicado ao máximo, você não ficará desempregado porque pessoas boas e competentes não ficam sem emprego.

Muitas vezes não damos o nosso melhor porque nos apoiamos excessivamente em pessoas que nos rodeiam. Esperamos coisas dos outros ou que alguém nos auxilie. Por isso é importante o indivíduo observar suas necessidades e tentar supri-las, em vez de apoiar-se demasiadamente nos outros. Devemos parar de depender em excesso das pessoas. Precisamos nos libertar e ser nós mesmos.

Assim, o leitor necessita ver que cada semente no solo deve crescer por si mesma. Sua atitude em relação à sua vida precisa ser similar: ajude os outros, mas não fique parado, esperando que a vida ou as pessoas o ajudem a melhorar. Seja dono de si.

O que acontece quando dependemos de nós mesmos? Lenta, lentamente, vamos desenterrando os potenciais escondidos em nosso interior e que não eram utilizados. E ficaremos surpresos com quanto poderemos fazer mais do que temos feito. Tudo o que temos, tudo o que teremos no futuro, tudo o que somos e seremos no futuro é resultado de nossas ações e buscas pelo melhor que existe dentro de nós.

Fomos feitos de tesouros. Somos grandes, porém alguns tentam nos mostrar que somos pequenos. O sujeito precisa resgatar e reivindicar sua grandeza. Ela é sua. Tome-a.

Portanto, caro amigo, procure fazer o melhor que puder hoje e depois fique insatisfeito, a fim de aperfeiçoar-se. Se seguir essa fórmula, terá muito sucesso em seu trabalho, em sua vida e em seus relacionamentos.

A DIFERENÇA ENTRE O ESSENCIAL E O IMPORTANTE

Para o indivíduo, ser seu melhor requer centramento na essência das coisas.

No mercado de trabalho atual, o ambiente é cada vez mais competitivo, mais do que em qualquer época da história do mundo. Nunca os clientes tiveram tantas opções e alternativas para solucionar suas necessidades. Nunca tivemos tantas empresas surgindo e desaparecendo tão rapidamente como nos dias de hoje.

Nesse contexto, a pressão por profissionais melhores, mais ágeis e mais competentes tem sido uma característica constante de organizações e empresas, pois elas precisam de resultados positivos para sua permanência e existência.

Diante desse cenário de velocidade e mudanças, o tempo passou a ser um fator estratégico na condução das atividades necessárias à obtenção dos resultados desejados. No entanto, apesar do uso de instrumentos, máquinas e tecnologia cada vez mais sofisticados, os resultados muitas vezes não aumentam na mesma proporção, e um número cada vez maior de pessoas se queixa da falta de realização pessoal.

Quando vivemos em um mundo turbulento, a consistência é um fator determinante na satisfação pessoal e profissional. A consistência se dá efetivamente pelo estabelecimento claro de um foco na essência das coisas. Um foco de vida que considere as áreas pessoal e profissional nos dá o equilíbrio necessário para nos manter firmes em nossos propósitos e metas.

A chave fundamental para uma boa relação com o tempo é ter um foco muito claro em cada ação que realizamos na vida.

Matriz do foco

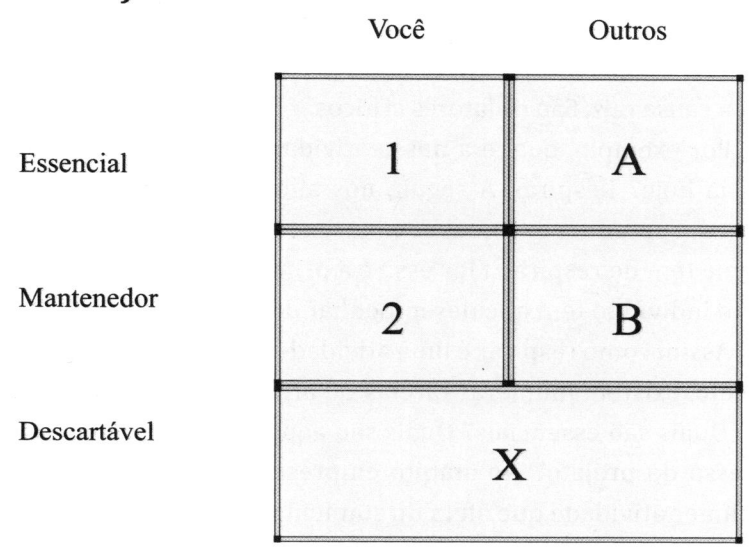

	Você	Outros
Essencial	1	A
Mantenedor	2	B
Descartável	X	

A matriz do foco revela a interface de duas vertentes. A primeira se refere às atividades que são minhas e a segunda, às que são do outro.

Temos uma tendência a querer fazer muitas coisas para nós e para os outros. Isso pode levar a um mostruoso desperdício de tempo e energia. É impraticável, nos dias de hoje, com o volume de informações que temos, querer abraçar tudo. Isso é o que torna muitas pessoas pouco produtivas e incapazes de dar o seu melhor no dia a dia.

É necessário que o sujeito pare e se pergunte: "O que é meu e somente eu devo fazer? O que é do outro e que ele deve fazer?". Portanto, para fazer o seu melhor hoje, é vital concentrar-se primeiro no que é de sua competência. Se houver tempo e for apropriado, ele poderá ajudar os outros, mas somente depois de ter feito o que é de sua alçada.

O segundo passo é diferenciar as atividades que são essenciais, as que são mantenedoras e as que são descartáveis.

Atividades essenciais

Essência é o que é vital, o que afeta o princípio de tudo. A força motriz, a causa raiz. São os fatores críticos.

Por exemplo, qual é a nossa atividade essencial de sobrevivência hoje? Respirar. A seguir, nos alimentar e beber. Quando faço essa pergunta em meus seminários, é raro alguém se lembrar de que tem de respirar. Mas essa é a primeira atividade essencial que o indivíduo tem que desempenhar durante todo o dia.

Assim como respirar é uma atividade essencial, dentro de um projeto, existem inúmeras tarefas ou atividades a serem realizadas. Quais são essenciais? Quais são aquelas que podem afetar o sucesso do projeto? No âmbito empresarial, essencial pode ser qualquer atividade que afeta diretamente os lucros ou os custos.

Um grande empresário em Minas Gerais costuma perguntar a seus funcionários:

– Isto que você está fazendo afeta os lucros ou os custos de nossa empresa diretamente? – Quando a resposta é não, ele ordena:

– Então, não gaste boa parte de seu tempo com isso!

Atividades mantenedoras

Atividades rotineiras ou de manutenção representam tudo que tem valor, que precisa ser realizado, sem, contudo, afetar a essência de uma meta ou um projeto. Vamos tomar como exemplo um hospital.

Na rotina de um estabelecimento hospitalar, existem áreas, atividades ou tarefas que são essenciais – como o corpo clínico, devido à natureza do trabalho realizado – e outras ligadas à manutenção, como é o caso da área administrativa, que contribui para o funcionamento das coisas.

O mesmo ocorre com nossas incontáveis atividades diárias. Temos atividades ou tarefas que são de manutenção e aquelas que são essenciais. As duas precisam ser feitas, indiscutivelmente, porém na sua devida ordem.

É evidente que aquilo que é rotineiro para um pode ser essencial para outro e vice-versa. Tudo dependerá do tipo de situação e do valor que damos ao que é feito.

Atividades descartáveis

Atividades descartáveis representam tudo que não acrescenta valor ao que está sendo proposto. São tarefas que desviam nosso foco e desperdiçam nosso tempo sem acrescentar nada relevante.

A matriz

A chave para podermos dar o nosso melhor é distinguir a interface da *matriz* do foco. O quadrante 1 diz respeito às tarefas essenciais e que somente o próprio indivíduo deve fazer. O quadrante A representa as tarefas essenciais, mas que podem ser feitas por outras pessoas. O quadrante 2 mostra as tarefas obrigatórias e que apenas o sujeito deve realizar. O quadrante B refere-se às tarefas de manutenção e que outra pessoa pode fazer. O quadrante 5 trata das tarefas descartáveis, aquelas que não agregam valor.

Para podermos atuar da melhor forma possível em um mundo de distrações, saber estabelecer o foco é fundamental. Por isso, centrar nossas atividades e tarefas nos quadrantes 1 e 2 é o primeiro passo.

Assim, devemos procurar analisar nossa vida e ver onde estamos investindo nosso tempo. Somente faremos o nosso melhor quando usarmos de maneira mais adequada o tempo que nos foi dado nesta dimensão.

Analisando o princípio de Pareto 80/20, 80% de nossos resultados virão de 20% de nossas atividades. Quanto mais equilibrarmos essa equação, mais produtivos seremos.

Quando estamos buscando dar o nosso melhor, precisamos ter cuidado com os ladrões de tempo e energia. Eis alguns exemplos bem comuns:

- desorganização;
- reuniões excessivas e malconduzidas;
- procrastinação;
- estimativa errada de uso do tempo;
- urgências de terceiros;
- tentativa de ser perfeito;
- atrasos de terceiros;
- centralização;
- excesso de relatórios, dados e informações;
- atitude de não escutar;
- falha de comunicação;
- falta de planejamento;
- rotina excessiva de trabalho;
- responsabilidades confusas.

NÃO SEJA O SEU MELHOR PARA AGRADAR ALGUÉM

Em 2005, dei uma palestra em um congresso em Fortaleza e tive a oportunidade de conhecer outro palestrante – um grande e competente executivo. Na volta para o aeroporto, conversamos muito sobre a agenda dele. Ele era um homem que tinha mil e uma atividades, empresas em quatro países além do Brasil, mulher, filhos e outros interesses. Eu, muito curioso, quis saber como ele conseguia dar conta de tudo. Segundo ele, o segredo era concentrar-se realmente nas coisas mais essenciais. Perguntei-lhe como concentrar-se no essencial quando tudo era essencial. Ele sorriu e disse calmamente:

– Você precisa parar de querer agradar a todo mundo! Esse é o maior erro que as pessoas cometem hoje. Eu digo "não" para um monte de coisas e pessoas. Elas não gostam, mas eu também não vou abraçar tudo. Há coisas que não têm a ver com o que é essencial e que eu não faço se não tenho tempo. E não tenho dó de dizer "não".

Meu amigo leitor, você já parou para pensar quanto queremos agradar aos outros? Isso não é ruim, mas querer agradar a todos é certamente um grande mal contra si mesmo e seu tempo. Assim, querer agradar a todo mundo é a receita certa para seu sofrimento. Você não vai conseguir! Sempre aparecerá um indivíduo, por mais que você tenha feito o melhor e pensado em todos, que vai criticá-lo ou reclamar de algo. E isso vai desagradá-lo e consumir sua energia. Perda de tempo!

Se você é dessas pessoas que buscam aprovação para tudo, mude! Comece a pensar: "Das dez coisas que tenho que fazer, quais são as que efetivamente mais importam?". Pegue as outras e diga: "Não vou fazer isso porque não é o mais importante". Lógico que a maneira de dizer "não" é fundamental quando lidamos com seres humanos, mas diga!

Provavelmente, muita coisa em sua vida vai mudar! Se deixar de querer agradar a todos, vai começar a se concentrar no que realmente traz consistência para a sua vida. Vai produzir mais, será menos cobrado, terá mais tempo, menos estresse etc.

Se quiser se encontrar consigo e com sua produtividade, pare de querer agradar a todo mundo. Agrade a si mesmo, pois sua exigência pessoal deve ser sempre satisfeita para que possa alinhar-se com seu verdadeiro propósito. O resto vem depois.

A FALSA CRENÇA DO ESFORÇO E DA LUTA

No geral, fomos criados e educados ouvindo uma série de crenças sobre trabalho, êxito e resultados na vida. Muitos de nós cresceram obedecendo às seguintes crenças: as coisas só têm valor quando lutamos por elas; se não dermos duro, nada acontece. Quem já ouviu algo parecido?

É fundamental rever essas crenças. Vamos comparar com a natureza. Ela não faz esforço! A grama não se esforça para crescer! Nada no Universo existe com esforço, absolutamente nada. Precisamos quebrar esse paradigma e trazer à tona um novo modelo mental.

Caro amigo, troque o "trabalhar duro" por "trabalhar apaixonadamente". Isso levará você a fazer as coisas "sem esforço"! Se for preciso muito esforço para realizar algo, esqueça. Se algo estiver dando muito trabalho, pode ser uma indicação de que provavelmente o caminho escolhido não é o melhor. Experimente de outra forma. Se todos começarem a viver assim, mudarão completamente a maneira de se relacionar com a vida e com suas conquistas. Isso não significa ser irresponsável, mas tentar sempre do jeito mais fluido, pois assim é que o universo opera.

Imagine que você tenha que mudar de lugar um monte de areia e está levando horas para desempenhar essa tarefa. Pergunto-lhe: por que você tem que fazer isso? Não pode pagar alguém para fazê-lo? Se puder, ótimo! Mais fácil ficou para você e, ainda assim, cumpriu sua tarefa! Perceba, faça acontecer com o mínimo de esforço, a não ser que realmente você tenha que fazer! Quanto mais acreditar que precisa trabalhar duro para conseguir as coisas em sua vida, mais coisas duras realmente virão para você.

Além do mais, muitos pensam que se tornam melhores por meio de coisas duras e difíceis. É um caminho, mas eles também podem se tornar melhores por meios mais fáceis! A decisão é sua. Quando o sujeito dá o melhor de si, sem esforço, as coisas se tornam mais fluidas. Dar o melhor não necessariamente tem de ser sempre duro e custoso.

SEJA UM REVISOR DE SEU DIA

Uma boa forma de ativar o nosso melhor é nunca dormir sem antes fazer um autoexame do nosso dia.

Desde os meus 8 anos, sempre faço uma revisão completa do meu dia antes de dormir. Ela pode durar segundos. E, quando estou cansado e durmo imediatamente, sempre a faço no dia seguinte, logo cedo. Procedo assim da mesma forma como me alimento e respiro. É sagrado para a minha evolução.

Jesus Cristo, certa vez, disse: "Antes de dormir, antes do crepúsculo, elimine suas contas, seus problemas com os outros". Muitos vão tomar um banho antes de dormir, mas poucos dão um banho psíquico em seu dia. Isso significa nos limpar e nos purificar de todas as coisas que fizemos durante o dia.

É importante fazer um balanço, refletindo e aprendendo: "O que fiz bem?"; "Em que fiquei satisfeito comigo?"; "O que poderia ter sido melhor?"; "Se eu vivesse este dia novamente, o que faria melhor ainda?". Essas são perguntas poderosas que levam a uma reflexão sem culpas, mas evolutiva, buscando ser sempre o seu melhor.

Se o leitor quer ser o seu melhor, tem que trabalhar! Sem esforço, de maneira inteligente e apaixonadamente.

O VALOR DAS METAS

Imagine um campo de futebol sem as traves! O que os jogadores fariam com a bola? O fato geraria discussão, perda de energia, perda de pessoas e muitos problemas. O mesmo ocorre com algumas pessoas que não têm metas em suas vidas. Ter um objetivo em mente é crítico para que você possa autoexperimentar-se. Nós viemos ao mundo para ter experiências, e elas se condensam por meio de metas.

Quando estabelecemos metas, é fundamental que elas estejam alinhadas com o coração, e não com a mente. As metas vindas do coração são fluidas, têm sentido e dão valor a nossas ações. Ao determinarmos metas, temos condição de explorar um pouco mais o nosso "melhor". Passamos a ter um parâmetro para nós mesmos. Um pouco melhor de nós a cada dia! Portanto, meu estimado leitor, tenha metas em tudo na sua trajetória existencial. Quanto mais metas, mais você mostra o tamanho e a qualidade de sua vida.

Muitas pessoas buscam por qualidade de vida. Qualidade de vida tem a ver com sensações e estados emocionais. Os estados emocionais estão associados à quantidade de momentos memoráveis, mas às vezes, para vivermos momentos memoráveis, temos de passar por dificuldades, frustrações ou coisas desagradáveis. Isso é entregar o seu melhor para conseguir o retorno desejado. Não obteremos os tais momentos memoráveis se não entregarmos o nosso melhor necessariamente.

Recordo-me de um corredor maratonista que se empenhou por um ano, treinando 12 horas por dia para se entregar a uma corrida de 2 horas. Quando ele chegou em primeiro, criou um momento memorável em sua vida. Isso o preenche até hoje. Você, leitor, está preenchido de quantos momentos memoráveis em sua vida? Se tem muitos, ótimo! Deve ser porque fez o seu melhor! Mas se não, é hora de começar a ter metas vindas de seu coração e fazer o seu melhor, assim construirá memórias que trarão estados emocionais de poder e paz. Isso é qualidade de vida, é estar satisfeito com você e com o que fez. Tenha, ao longo de sua vida, um grande estoque de satisfação com o passado e verá como sua relação com o mundo ficará ainda melhor! Satisfação com o passado e insatisfação construtiva com o presente criam uma fórmula poderosa de avanço contínuo.

VIVER O PRESENTE

Viver o presente coloca-nos de frente com o nosso melhor! Como viver com o meu passado se ele passou? Passou na ação, mas pode ainda estar em meus pensamentos ou sentimentos e, então, passa a conviver com o meu presente com relativa frequência.

Um amigo relatou um caso bastante interessante de uma moça cuja mãe estava com câncer há muito tempo. A filha andava incomodada, pois tivera, durante muitos anos, brigas homéricas com a mãe. Sua saída de casa trouxera um grande sofrimento, pois fora marcada por fortes acusações por parte da mãe e uma reprovação muito grande.

Mesmo assim, saiu de casa e foi buscar suas realizações. Tornou-se dentista, casou-se e nunca mais teve um relacionamento saudável com a mãe. Mas ela confessou anos depois – especialmente ao deparar com a notícia da doença – que não passou um dia sequer sem pensar na mãe e nos fatos pretéritos. Toda vez que revivia cenas passadas, produzia um enorme rancor e alimentava-se dele com frequência.

Da mesma forma, a mãe conviveu anos com os fatos passados. Um dia, essa moça resolveu ligar para a mãe e ambas conversaram muito. Ela disse de coração que queria perdoar a mãe e a mãe, por sua vez, muito emocionada, disse que havia errado muito e esperava pelo perdão. Foi uma cena muito bonita. A mãe morreu no dia seguinte. Os médicos afirmaram que não entendiam como aquela senhora não havia falecido antes, pois, no estado em que se encontrava, qualquer paciente não resistiria por tanto tempo.

Se analisarmos de fora, poderemos fazer uma pergunta: será que a mãe estava esperando o perdão para poder se desligar deste mundo?

Vamos supor que isso tenha sentido! Veja como o passado pode prender o presente e o futuro! E eu lhe pergunto: quantas coisas passadas ainda estão presentes em seus sentimentos ou pensamentos? Será que isso o está ajudando a construir seu futuro? Se não for o caso, uma boa forma de conviver com o passado é colocá-lo como uma boa lembrança. Quanto aos fatos negativos que permeiam seus pensamentos no presente, resolva-os se possível! Não alimente pendências em sua vida.

Peça perdão, perdoe, dê um significado novo para as coisas. O presente é muito precioso para ser preenchido pelo passado, que deve ser visto como um trampolim. Volte a ele para receber o impulso para o futuro. Esse é o convívio mais saudável que você pode estabelecer com seu passado!

Então, se quer ser o seu melhor hoje, é necessário estabelecer uma relação de aprendizado com o passado, de intenção com o futuro e de foco no presente. O que não é saudável é prender-se ao passado ou viver excessivamente o futuro.

Entenda que os erros que você cometeu no passado foram frutos do que você podia ser de melhor naquele momento. É certo que, hoje, você faria totalmente diferente, mas foi o que você tinha a oferecer ao mundo. Portanto, perdoe-se e reconheça: "Esse foi o melhor que pude ser!". Se necessário, peça perdão a quem você feriu. A culpa e a vergonha precisam ser banidas de seu coração para você fluir.

SER O SEU MELHOR HOJE É DAR 100% DE SI

Muitas pessoas, ao lerem este pacto, interpretam-no usando como uma forte desculpa para justificar falhas. Certa vez, encontrei uma gerente que não atingia suas metas e perguntei: "Você fez o seu melhor?" E ela disse: "Sim!". Ao investigarmos o que significava fazer o melhor, descobrimos que ela não visitava um número suficiente de clientes, administrava mal seu tempo, misturava a vida pessoal com frequência e usava muito mal as informações com seus pares. Ao final, chegamos à conclusão de que ela dava 40% do seu melhor. Portanto, a grande pergunta é esta: que percentual do seu melhor você está dando?

Muitas pessoas se confundem, achando que se esforçaram muito, cansaram-se, ficaram tensas, estressadas, e essa é a razão para terem dado o seu melhor. Isso pode ser considerado um tremendo engano. Esforço e trabalho não dizem que o sujeito fez o seu melhor. Não são muitas as pessoas que realmente atingem esse patamar. Mas, para você se certificar se realmente está dando o seu melhor ou não, caro leitor, apresento-lhe um método muito simples que pode ajudá-lo.

Reúna-se com um par, colega ou chefe e estabeleça o que é esperado. Em seguida, defina como deve agir para chegar ao ponto que é esperado. Simples assim. Se você tem a definição de onde chegar e o que deve fazer para atingir a meta desejada, já encontrou os parâmetros para ver se deu realmente o seu melhor ou não. Não permita que você nem ninguém venham com a seguinte desculpa quando algo não aconteceu conforme o esperado: "Olha... esse foi o meu melhor!".

É fácil ver pessoas esquivando-se de suas responsabilidades. Elas normalmente usam: "eu tentei", "mas você deve considerar que", "você tem que ver que", ou põem a culpa em alguém, "se fulano tivesse feito" etc. Ajude essas pessoas a saírem de suas defesas e permita-lhes que tirem seu melhor. Assim, você contribui com a existência e a satisfação pessoal delas.

AMBIÇÃO ÉTICA

Por que precisamos ser o nosso melhor? Alimentar a ambição pode ser perigoso?

Analisando as palavras da bandeira brasileira, "Ordem e Progresso", resolvi refletir um pouco sobre um dos aspectos do vocábulo "progresso". Se o efetivo propósito da humanidade não é progredir, eu teria muita curiosidade de entender o porquê de estarmos todos aqui neste planeta!

O progresso, no meu entender, é fundamental para a evolução. Progredir, analisando sob um aspecto positivo, é crescer, melhorar, ir adiante, evoluir. Muitos são os aspectos que envolvem um ser humano e o levam a se desenvolver. Os indivíduos são motivados a progredir por aspectos muito distintos, mas a ambição é um fator comum e natural. Uma pessoa pode ter a ambição de ser alguém melhor, de conquistar realizações, ganhar posições, alcançar metas, ter *status*, dinheiro etc.

A ambição motiva, tira os seres humanos da zona de conforto, faz pensar além; efetivamente, mexe com o sujeito. Porém, é muito comum encontrar pessoas que enxergam a ambição de forma negativa; e às vezes pode ser.

Em 2007, assisti a uma cena interessante. Conheço um sujeito muito ambicioso. Ele trabalhava com o pai e tinha tanta vontade de crescer que só se via ocupando o lugar do próprio pai. Com o tempo, acabou se desgastando de tanto reforçar que o pai era arcaico. Saiu da empresa e foi procurar algum negócio que lhe rendesse dinheiro rápido, pois queria ficar rico. Entrou em um negócio de marketing de rede de alimentos, mas o que ele mesmo queria era ganhar dinheiro. Não pensava verdadeiramente nas pessoas. Via nelas apenas um meio para obter lucro. Assumiu também um outro negócio na área de educação, mas acabou se perdendo nas oportunidades e foi desligado por atitudes ilícitas. Até então, ele não aprendera, do meu ponto de vista, a ser ambicioso de forma ética.

Assim como esse rapaz, existem muitas pessoas ávidas por se darem bem na vida. São criaturas que se aproximam dos outros somente por interesse. Isso é fruto de um modelo social, induzido por uma sociedade fomentadora de competições, comparações e medições dos valores de uma pessoa pelo que ela tem. E muitos caem nessa armadilha normótica.

A ética é fundamental na ambição. Ética é agir de forma altruísta. É fazer pelos outros. É deixar de pensar somente em si, ainda que sem se desconsiderar. A vontade de ser alguém ou de ser rico não deveria estar acima da amizade, da verdade, da justiça e da transparência. Uma pessoa ambiciosa, mas não ética, não vê nada entre ela e o seu objetivo. Esse é o ponto crítico que destaco sobre o aspecto da ambição ética. Um indivíduo com uma ambição ética considera as pessoas, as coisas, as regras entre ele e seus objetivos. Esse pequeno detalhe faz o sujeito ser perene ou não no mercado de trabalho.

Vemos hoje jovens chegando a esse mercado cheios de ambição e sonhos. Fará diferença a ambição ser ética. Será que levarão em conta o que está "entre"? A ambição ética às vezes retarda o alcance de metas, atrasa sonhos, mas consolida o respeito e a confiança que o mercado e as pessoas têm por nós e que nos dão consistência.

O QUE EXISTE ENTRE VOCÊ E SUAS METAS?

Há uma história que se passou em 1899 e, provavelmente, é uma das mais contadas em todo o mundo desde o século 19. Essa matéria foi publicada, na época, em uma revista chamada *Philistine*, como "Carta a Garcia".

> *Existiu um homem cuja atuação na guerra em Cuba faz-se presente nos horizontes de minha memória.*
> *Aconteceu que, quando se iniciou a guerra entre Espanha e Estados Unidos, percebeu-se claramente a necessidade de um entendimento imediato entre o presidente da União Americana e o general Calixto Garcia. Mas a questão era: como fazer isso?*
> *Ninguém tinha a menor ideia de onde esse homem poderia estar! E era preciso obter rapidamente sua cooperação. Mas como fazer chegar às suas mãos um termo ou carta? O que fazer?*
> *Alguém disse ao presidente: "Conheço um homem chamado Rowan. Se alguém neste mundo é capaz de encontrar o tal general, esse alguém é Rowan".*
> *Quando Rowan foi apresentado ao presidente McKinley, ele perguntou o nome do general, tomou a carta, colocou-a em uma bolsa atrelada ao seu coração, desembarcou em Cuba, atravessou a selva primitiva durante sete dias, cruzou territórios hostis, encontrou o general e entregou-lhe a carta.*

Não quero investir tempo nos detalhes de como Rowan encontrou o general, o que não foi tarefa fácil, mas na atitude dele. Ele não chegou para o presidente e perguntou: "Quem é ele? Como vou achá-lo? O senhor tem alguma pista?". Não! Simplesmente pegou a carta e fez o que tinha de fazer. Agiu!

Louvado seja! Eis aqui uma pessoa que deveria ter uma estátua de bronze em todos os colégios e faculdades do País! Esse homem ensinou a todos que ações dizem mais do que palavras. O que o mundo necessita é de ação. Precisa de pessoas que dificultem menos. Que queiram entregar "cartas a Garcia".

O general Garcia já não existe mais, mas há muitos Garcias no mundo. Precisamos de pessoas que queiram fazer o que precisa ser feito. E que façam o seu melhor naquele momento.

Assim, caro leitor, estabeleça um pacto com você mesmo: faça, sempre, o seu melhor hoje.

PACTO 4

FAÇA SEMPRE O SEU MELHOR HOJE

CHAVES PARA EVOLUIR A CADA DIA COM CONSCIÊNCIA

Passo 16: Pare de sentir culpa, vergonha ou medo.

Passo 17: Pare de se comparar aos outros e de competir com eles.

Passo 18: Concentre-se em você e inspire-se na grandeza dos outros.

Passo 19: Dê todo o seu melhor no que faz agora.

Passo 20: Aprenda com as experiências, pois você veio para isso.

PARTE V
Estado de paz

OS PACTOS 5 A 8 — ACABE COM SUAS GUERRAS INTERNAS.

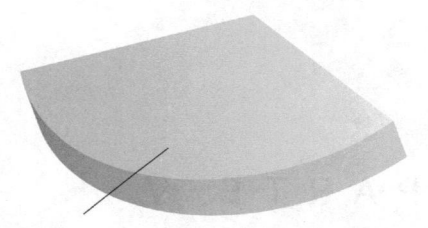

EU e o OUTRO

Integração consciente

5. Não faça suposições
6. Não tome nada como pessoal
7. Seja impecável com as palavras
8. Aprenda com o outro —
   O que o incomoda muito no outro também está em você

PACTO 5

PARE DE FAZER SUPOSIÇÕES

O PILOTO AUTOMÁTICO DA MENTE

Certo dia, uma moça estava à espera de seu voo na sala de embarque de um aeroporto. Como deveria esperar por muitas horas, resolveu comprar um livro para matar o tempo. Também comprou um pacote de biscoitos. Então, achou uma poltrona numa parte reservada do aeroporto para que pudesse descansar e ler em paz.

Ao lado dela, sentou-se um homem. Quando ela pegou o primeiro biscoito, o homem também pegou um. Ela se sentiu indignada, mas não disse nada, embora tenha pensado consigo: "Mas que cara de pau. Se eu estivesse mais disposta, lhe daria um soco no olho para que ele nunca mais esquecesse...".

A cada biscoito que pegava, o homem também pegava um. Aquilo a deixava tão indignada que ela não conseguia reagir. Restava apenas um biscoito e ela pensou: "O que será que o abusado vai fazer agora?". Então, o homem dividiu o biscoito ao meio, deixando a outra metade para ela. Aquilo a deixou irada e bufando de raiva. Ela pegou seu livro e suas coisas, e dirigiu-se ao embarque.

Quando sentou confortavelmente em seu assento, para sua surpresa, o seu pacote de biscoito estava ainda intacto dentro de sua bolsa. Ela sentiu muita vergonha, pois quem estava errada era ela e já não havia mais tempo para pedir desculpas. O homem dividiu os seus biscoitos sem se sentir indignado, ao passo que isso a deixara muito transtornada.

Em nossas vidas, por vezes, estamos comendo os biscoitos dos outros, e não temos consciência disso. Criamos, assim, uma série imediata de suposições que muitas vezes não refletem o que realmente está acontecendo.

Temos uma incrível capacidade criativa. Nossa mente é fértil e sugestiva. Ela imagina muitas coisas que não existem e nunca existiram. Muitos podem não admitir isso em suas vidas, mas nossa mente está criando o tempo todo. As criações podem nos ser úteis ou não, mas ainda assim criamos. Nossa mente não para até que nós desejemos e saibamos como fazer. Sendo assim, um dos grandes males das relações humanas é a incrível capacidade que a mente tem de imaginar coisas que foram ditas, ouvidas ou feitas. O ser humano adora fantasiar e fazer suposições sobre coisas e pessoas.

Por exemplo, Renato era um gerente de logística de uma grande empresa de distribuição no Centro-Oeste do Brasil. Ele estava novamente à frente de um processo seletivo para contratar motoristas de caminhão. Cada candidato passava por um criterioso processo de entrevistas para, ao final, ter um bate-papo apenas com o chefe, no caso, Renato. Antes de sair para o almoço, Renato conversou rapidamente com um candidato de nome Damião e, depois de cinco minutos, dispensou-o.

Comentando o caso com seu assistente, afirmou:

– Ele é alcoólatra.

– Como o senhor sabe?

– Ele tem todo o tipo!

– Mas o *RH* não apontou nada sobre isso!

– O *RH* não entende de gente, eu sinto cheiro de pinguço de longe! – concluiu Renato.

Curiosamente, meses mais tarde, esse mesmo homem voltou a ser selecionado e contratado por essa mesma empresa em outra área. O interessante é que Damião era crente, importante líder comunitário e nunca havido colocado um pingo de álcool na boca.

É muito comum vermos pessoas supondo coisas, como Renato fez. Ele não agiu assim à toa. Deve ter se baseado em referências passadas. E esse é o primeiro aspecto para formar a base da suposição: experiências passadas.

Quando temos experiências que nos trouxeram algum aprendizado por meio da dor, ou não, temos uma natural tendência de projetar e replicar um evento antigo em uma circunstância nova. Isso é um grande perigo porque as situações não são as mesmas, menos ainda as pessoas. Por isso, fazer suposições com base em experiências passadas é muito perigoso.

Identifico três fortes aspectos das suposições (três "P"):

PENSAMENTOS: supor o que o outro está pensando;
PALAVRAS: supor coisas que foram ditas;
PRÁTICAS: supor o que outros fizeram ou são.

Esse é o caminho mais direto para o congestionamento de nossa mente. A mente tem a capacidade de produzir mecanismos de raciocínio que se retroalimentam, criando toda uma história que se reflete na produção de emoções contínuas e progressivas.

Para o leitor, eis uma dica: a mente adora histórias. Grave bem isso!

O SISTEMA DA MENTE

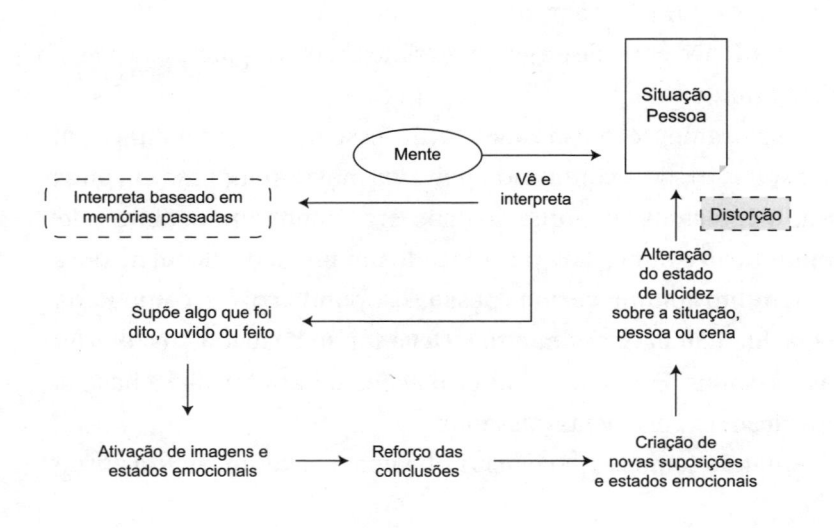

Entenda a mente como um mecanismo automático de busca. Um "Google" interno. Um sistema operante e involuntário. Tudo que vê ela automaticamente interpreta. Você não tem muito o que fazer, pois isso é sistêmico. Onde ela busca condições para interpretar? Nas memórias passadas. A referência primária que a mente tem são suas experiências passadas e suas conclusões.

O que ela faz então é classificar o presente de acordo com o passado. Ela traz o passado para o presente e o reproduz, gerando assim estados emocionais similares e construindo uma ronda de repetição.

Os problemas se iniciam quando imaginamos algo sem a certeza de que isso foi dito, ouvido ou feito. Nossa mente adora essas diversões. À medida que começamos a supor algo, a imaginação entra em ação e imagens começam a surgir em nossa tela mental. Essas imagens vão reforçar inevitavelmente as suposições e algum sistema de resposta, reação ou defesa.

Já com nossas reações prontas, a mente vai procurar confirmar isso. E, normalmente, ela é hábil em encontrar confirmações.

No momento em que ocorre a confirmação, a mente passa a fazer suposições em um outro nível: no nível de resposta às nossas reações. Assim, inicia-se uma ronda infindável de suposições que alteram completamente a lucidez mental e emocional de uma pessoa.

Vejamos um exemplo: meu chefe não me cumprimentou direito durante a semana. Suposição: ele não deve estar gostando do meu trabalho. Imagens e conclusões: imagino-o lendo cada relatório e projeto que fiz. Emoções: tenho medo de perder o emprego. Reforço: ele realmente não gosta de mim. Outras suposições: a empresa deve estar apertada e vai mandar gente embora. Ele já deve ter escolhido as pessoas e não está querendo proximidade por causa disso. Reforço: raiva. Por que ele não se adianta e prepara a gente para arrumar outro emprego? Novas conclusões: deve ser para que a gente não sabote a empresa. Alteração do estado de consciência: então ele vai ver! Vou fazer mesmo só o necessário, já que vou ser mandado embora. Vou procurar um outro lugar para trabalhar!

As suposições nos levam a ver e viver coisas que não são necessariamente reais e podem provocar dor e emoção negativa desnecessárias. Além disso, podem nos colocar em confronto com alguém, estimulando-nos a ser injustos, bobos ou ingênuos. No entanto, isso não significa que não devemos pensar à frente em um sentido estratégico! Não é nada disso! Estratégia, sim. Suposição, não!

Quantas vezes perguntei aos meus alunos em programas sobre falar em público: "Qual é o seu medo?". E grande parte respondia: "O que os outros podem pensar de mim!". Ora, isso é uma tremenda suposição! Muitas pessoas têm medo de falar em público com medo do que os outros vão pensar! E, se entram nessa ronda, elas mesmas são prejudicadas.

Lembro-me, certa vez, de um aluno que estava muito tenso antes de dar sua palestra. E notei, por sua expressão facial, que estava em discussão interna intensa – imagine a ronda de suposições na cabeça dele! Quando chegou à frente, percebi que o semblante tenso e apreensivo foi substituído por um muito bravo, e ele iniciou dizendo:

– Que vocês se danem! Não vou passar vergonha aqui como vocês querem, não! Passar bem, obrigado! – terminou sua fala e foi embora.

Foi péssimo para ele. O rapaz se sentiu pior do que estava. As pessoas se aproximaram para conversar e ele as tratou muito mal. Ficou claro que o aluno entrou na ronda das suposições e não conseguiu mais sair dela. Ele criou uma história na cabeça, que a mente admitiu como verdadeira. Quebrar isso não foi tarefa fácil. Algumas semanas depois, conseguimos, com a ajuda dele, vencer as dificuldades para que pudesse se expor com mais confiança.

Veja o leitor o poder das suposições! Elas criam uma realidade, e você passa a ver nitidamente essa realidade. Você a comprova!

OS TRÊS CÉREBROS

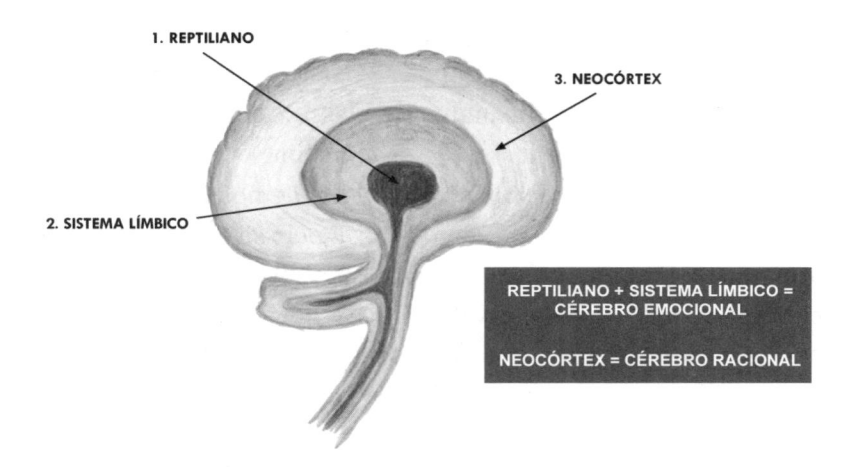

1. REPTILIANO
2. SISTEMA LÍMBICO
3. NEOCÓRTEX

REPTILIANO + SISTEMA LÍMBICO = CÉREBRO EMOCIONAL

NEOCÓRTEX = CÉREBRO RACIONAL

O PRIMEIRO CÉREBRO OU CÉREBRO REPTILIANO
Essa camada do cérebro controla nossos instintos, reflexos e funções fisiológicas básicas. Esse cérebro pode não resolver problemas de matemática, mas sem ele não sobreviveríamos. Nossa consciência instintiva de perigo vem desse nível cerebral. Quando sentimos fome ou sede, os instintos de sobrevivência do cérebro reptiliano nos avisam e nos levam a comer e beber, assim como a sobreviver e nos proteger.

O sistema nervoso é constituído de circuitos que têm ligação com o cérebro reptiliano. Isso tem a ver com o instinto de sobrevivência. Quando nosso sistema é acionado, o sistema nervoso toca o cérebro reptiliano. Ele, ao ser acionado, parte para a defesa por reflexo. Quando acionamos esse cérebro, cortamos o lado da consciência e tudo o que não é necessário à sobrevivência se fecha. Quando um conflito ou ameaça ocorrem, esse mecanismo é colocado para funcionar. Ao final, ele governa a digestão, a reprodução, a circulação, a respiração e a execução de luta, fuga ou congelamento.

O SEGUNDO CÉREBRO OU SISTEMA LÍMBICO

Nessa camada do cérebro, processamos as emoções e a relação que fazemos com as coisas e as pessoas. Esse cérebro se desenvolveu quando os pequenos mamíferos apareceram pela primeira vez, há cerca de 200 milhões de anos. Os estados emocionais são cheios de significado, pois os sistemas límbicos avaliam nossa realidade atual ou aquilo que pensamos no momento, classificando: "isso é bom ou ruim?". As perguntas básicas que o sistema límbico faz estabelecem confrontos para nos direcionar ao que entendemos que é bom e nos afastar do que é classificado como ruim. É pelo sistema límbico que formamos relacionamentos e criamos laços. Por exemplo, se leitor tem ou teve cães, gatos e cavalos, dentre outros bichos, percebeu que esses animais criam laços conosco; já quem teve peixes, sapos ou répteis entende que esses seres, por não possuírem sistema límbico, não cultivam laços da mesma forma que outros animais. Ao final, ele governa as emoções relacionadas com o afeto, a expressão, os instintos e a motivação.

O TERCEIRO CÉREBRO, CÉREBRO CORTICAL OU NEOCÓRTEX

A camada mais externa do cérebro é o córtex, cérebro cortical ou neocórtex. Esses nomes foram dados porque, no processo evolutivo das espécies, este "cérebro" se expandiu muito com o surgimento dos primatas e os primeiros humanos. O neocórtex permite o julgamento, o ato de pensar, o fluxo de ideias e conceitos. Ele constrói um mapa sobre o mundo externo e interno, permitindo-nos pensar sobre até mesmo o próprio pensar. O neocórtex tem muitas possibilidades de estudo, a ponto de cientistas dividirem-no em regiões, que se chamam "lobos". Ao final, ele governa a linguagem, a cognição, o raciocínio e os movimentos voluntários.

A INTERFACE DOS CÉREBROS E AS SUPOSIÇÕES

Imaginemos, caro leitor, que você está em seu quarto, tranquilo, e sua esposa, brincalhona, aparece de repente e lhe dá um susto. Sua primeira reação é avançar e jogá-la para o lado. Primeiro, vem um sentimento de arrependimento por tê-la agredido e, em seguida, outro sentimento de raiva pelo susto. Logo depois, você começa a querer entender por que ela fez isso. Posteriormente, conclui que ela não deveria ter feito isso. Com o tempo e pensando mais sobre ela, chega à conclusão de que sua esposa é infantil em alguns aspectos. Essa conclusão reforça um sentimento de tristeza por ela ser infantil. Com o sentimento instalado, sua mente automaticamente começa a ver aquilo que quer ver, então você começa a enxergar dezenas de outros comportamentos infantis. Assim, você estabeleceu que ela é "infantil".

Quando algo nos choca, o choque ativa o cérebro reptiliano como instinto de sobrevivência e ele reage, às vezes até agressivamente. Em seguida, vem o sistema límbico ativando estados emocionais e estes, por conseguinte, dão as bases para a formulação dos pensamentos e das conclusões.

Dessa forma, leitor, nós vamos construindo nossos modelos mentais e a nossa maneira de ver o mundo.

A FORÇA DA IMAGEM CONGELADA

Em um aspecto mais sutil, encontramos também a suposição manifestada em outros modelos de relação.

Todos nós somos seres de experiências, isto é, aprendemos por meio delas. Nossos aprendizados, frutos das experiências com outras pessoas, nem sempre se manifestam de forma agradável.

Os desencontros, as discussões, as agressões, os incômodos, as atitudes "negativas" dos outros que nos afetam são uma forte fonte de suposição.

Quando temos uma experiência negativa que se repete com alguém, tendemos a formular um conceito sobre essa pessoa. Esse conceito formulado refere-se exatamente à situação que vivemos com ela. Essa situação, quando não é retirada de nossa mente e de nosso corpo, irá nos trazer uma imagem congelada dessa pessoa. Ou seja, só conseguiremos vê-la dessa maneira.

Não pretendo emitir julgamentos sobre o que esta ou aquela pessoa lhe fez ou como se comportou. Minha intenção, caro leitor, é mostrar-lhe como a imagem congelada de tal situação lhe roubará completamente a chance de perceber alguma mudança ou melhoria nela.

Imagem congelada é como um rótulo. Você cola na pessoa e não consegue mais ver nenhuma mudança no outro. Quando você congela a imagem e afirma que tal pessoa é isso ou aquilo, se parar para pensar, você a está tratando pelo passado. E o passado passou. O congelamento traz o passado para o presente, e a tendência é transformá-lo no futuro, e isso, meus amigos, é suposição.

Um ser humano tem um potencial ilimitado para mudanças a partir do momento em que queira mudar. Ninguém, absolutamente ninguém pode dizer com certeza que uma pessoa será assim sempre.

Por isso, quando o leitor tiver uma experiência negativa com alguém ou formular uma ideia sobre outrem, deve ter em mente que ela é relativa à sua experiência no tempo presente. Mesmo que isso se repita com essa pessoa e você tenha confirmações constantes, lembre-se do poder que um ser humano tem de mudar.

COMO DEIXAR DE SUPOR?

AS TRÊS TÉCNICAS BÁSICAS

1. Coloque-se em dúvida

Comece pelo fim. Esse é o segredo. Perceba que está supondo. Isso provoca um estado de alerta. Com esse entendimento, fica mais fácil sair da ronda das suposições. Lembre-se de que tudo aquilo que você pensa existir na vida é sua interpretação. As interpretações podem mudar, podem estar certas ou não. Nada é permanente. Quanto mais suposições fizer, mais você criará um mundo de fantasias que, inevitavelmente, lhe tirará a consciência. Quando estiver supondo e perceber isso, diga para você mesmo: "Isso é uma suposição!".

2. Pessoa imaginária

Costumo usar um truque bem eficiente: coloco outra pessoa mentalmente em meu lugar e pergunto a ela se teria a mesma interpretação! Se precisar, coloco outras mais! Garanto que, toda vez que fiz isso, minhas suposições foram para o brejo. É mais fácil dominar algo quando o reconhecemos. Ver sob a óptica imaginária de outra pessoa, principalmente se escolhermos uma de bom senso, é libertador do nosso próprio sistema mental.

3. Absoluta certeza

O primeiro passo é reconhecer que se trata de uma suposição. O segundo é investigar (é preciso lembrar: se não investigarmos, a mente, dinâmica como ela é, vai começar a supor). Quando concluirmos algo, a chave é fazer perguntas: "Isso realmente é verdade? É fato?". Gravemos bem isso: a outra chave é colocar a conclusão sob suspeita. Faça a perguntinha-chave: "Eu tenho absoluta certeza disso?". Como este pensamento instalado, você poderá fazer a coisa certa, que é investigar com muito mais propriedade.

Se o sujeito não pode estar presente a uma reunião, deve procurar saber tudo que aconteceu, mas ouvindo todos para não criar suposições baseadas em uns poucos, pois as pessoas dão suas versões das coisas, também fazem suposições. Imagine supor em cima de outras suposições! Por isso, temos que aprender a ser bons investigadores. É preciso levantar todos os fatos ou dados, assim daremos trabalho para a nossa mente e ela ficará feliz. Depois, com os dados processados, tiraremos as conclusões sem suposições.

Quando trabalhamos sem suposições, sofremos menos, evitamos perda de energia, deixamos a mente mais limpa e podemos concluir com mais sobriedade.

Certa vez, um aluno na Bahia perguntou-me: "Isso significa que não devo admitir nada?". Esta é uma pergunta importante para não radicalizarmos. Admitir hipóteses, montar planos, antecipar possíveis situações ou infortúnios é relevante e não há problema nenhum nisso. O problema começa quando passamos a viver a suposição e a sofrer por causa dela. Por isso, meu amigo, recomendo que pare de fazer suposições. Assim tudo fluirá mais livremente para você, para as pessoas e para o mundo.

QUANDO OS OUTROS NÃO QUEREM NOSSO BEM E ISSO NÃO É SUPOSIÇÃO

Lembre-se de que ninguém chega a você sem ter sido chamado. Você verá isso em um pacto adiante; no entanto, é possível lidar com isso sem suposições!

Muitas vezes, sentimo-nos obrigados a conviver com pessoas que não desejamos. Algumas delas são frutos de nossas escolhas, como esposa, marido, amigos. Já outras, não. Por exemplo: filhos, parentes e colegas de trabalho, dentre outras. Mas elas não vieram por acaso. Acreditamos que tudo tem uma razão. Então, não fazemos suposições; agimos.

A decisão de continuar a conviver ou não com as pessoas que escolhemos é nossa, mas, em relação àquelas com as quais temos de conviver, temos dois caminhos a seguir: afastar-nos ou encará-las.

Mais um exemplo: imagine o leitor que, ao chegar ao trabalho, depara com um novo colega, que é uma pessoa evidentemente ambiciosa, com princípios diferentes dos seus quanto à ascensão profissional. Seu chefe, no entanto, não percebe ou não se importa com isso. Consequência: ou você sai de campo, ou enfrenta a situação. Se optar por enfrentar, tem três caminhos: retração, agressão ou estratégia.

Muitas vezes, as pessoas adotam a retração com o objetivo de evitar conflitos. Passam a engolir tudo que o outro diz ou faz. Isso, aos poucos, pode minar suas emoções, que tendem a ficar contidas. As doenças representam o caminho final dessa situação, pois somatizamos o que não expressamos.

Outras pessoas não abrem mão e resolvem adotar um comportamento mais agressivo para enfrentar coisas que não admitem. Por um lado, elas se manifestam, mas, por outro, criam muitos problemas e conflitos. Algumas adoram estar nessas disputas e até se fortalecem aparentemente com elas. Mas o desgaste e as inimizades são preços inevitáveis.

Vamos explorar a estratégia, por ser uma atitude mais consciente e menos emocional. Quando temos pessoas à nossa volta com autoestima baixa, porém com uma ambição grande, não precisamos fazer suposições, mas teremos de ser cuidadosos. O grande desafio é que indivíduos ambiciosos em demasia podem se sentir altamente incomodados com suas ações. Por isso, listo algumas dicas para o leitor conviver com pessoas que não gostam dele, ou que fingem gostar, que não querem seu bem ou o veem como uma ameaça ao *status quo*, sem que ele tenha de supor coisas.

Primeiro, pare de falar sobre você, pois, cada vez que essas pessoas o escutam, elas podem dizer que é prepotente ou outras coisas mais. Você cria oportunidades para que elas façam suposições desnecessárias. Preserve-se.

Segundo, compartilhe apenas o estritamente necessário. Às vezes, quando o sujeito dá de si em excesso, ele se desvaloriza e se posiciona mal.

Terceiro, se for necessário e obrigatório o convívio, não corte relações, mantenha algum vínculo com a pessoa. É melhor tê-la por perto do que longe. Normalmente, esse tipo de pessoa acaba revelando o que pensa de você nas entrelinhas – quando o convívio existe – e pode lhe dar a oportunidade de estabelecer um novo nível de relação.

Quarto, jamais se deixe irritar. Quem o irrita tem domínio sobre você. Quinto, não se preocupe com as críticas, pois podem ser elogios disfarçados. Sexto, não se preocupe se essas pessoas o julgam demais ou lhe atribuem defeitos, pois, muitas vezes, esses defeitos podem ser delas mesmas... Muitas vezes as pessoas ficam vendo seus defeitos nos outros, pois não têm coragem de assumi-los.

Sétimo, mantenha pensamentos de paz, coragem, saúde e felicidade. Esses pensamentos expulsam energias negativas.

Oitavo, deseje o melhor e faça o melhor para essas pessoas. Você pode servir de exemplo, e o tempo será seu eterno aliado. Elas devem ser vistas como irmãos em evolução.

Nono, mande energias positivas ou reze para elas. Isso funciona magicamente.

Pessoas invejosas, fingidas, excessivamente competitivas, desonestas sempre passarão ao nosso redor. É um aspecto delas, apesar de não serem elas por completo. Não devemos fazer suposições, apenas lidar com fatos e tirar aprendizados, alinhando-nos apropriadamente. Precisamos ser estratégicos, não fingir amizade se não a temos, tratar todos bem e seguir nosso caminho. Admita a possibilidade de que as pessoas "estão", e não "são", o que você afirma! Assim, você se torna mais estratégico sem também julgá-las.

SÍNDROME DE PROCUSTO

Na mitologia grega, um gigante chamado Procusto convidava pessoas para passar a noite em sua cama de ferro. Mas havia uma armadilha nessa hospitalidade: ele insistia para que os visitantes coubessem, com perfeição, na cama. Se eram muito baixos, ele os esticava; se eram altos, cortava suas pernas.

Por mais artificial que isso possa parecer, será que não gastamos um bocado de energia emocional tentando alterar ou enquadrar outras pessoas de formas diversas, embora menos drásticas?

Esperamos, com frequência, que os outros vivam segundo nossos padrões e ideais, ajustando-se aos nossos conceitos de como eles deveriam ser. Ou então assumimos a responsabilidade de torná-los felizes, bem ajustados e emocionalmente saudáveis.

A verdade é que grande parte dos atritos que existem nos relacionamentos acontece quando tentamos impor nossa vontade aos outros, administrando-os e controlando-os. Isso é outra forma de supor como as pessoas deveriam ser.

De tempos em tempos, em graus variados, assumimos responsabilidades que não nos pertencem. Tentamos dirigir a vida das outras pessoas com a intenção de influenciar tudo, desde sua dieta até a escolha de roupas, passando por decisões financeiras e profissionais. Tomamos partido e ficamos excessivamente envolvidos, até encontrarmos ou criarmos problemas onde eles não existem, para podermos criticar e oferecer conselhos.

É preciso entender que ninguém muda até que deseje fazê-lo, esteja disposto a mudar e pronto para tomar as atitudes necessárias a efetuar a mudança. É por esse motivo que o resultado de nosso "procustianismo" é sempre o mesmo. Estamos destinados a fracassar em nossos esforços para controlar ou modificar alguém, não importa quanto sejam nobres nossas intenções. E estamos destinados a terminar num turbilhão, frustrados, ressentidos e cheios de autopiedade.

E o que dizer das pessoas que tentamos orientar? Demonstramos, com essa atitude, falta de respeito por seus direitos como indivíduos, privando-as da oportunidade de aprender com suas próprias escolhas, suas decisões e seus erros. Em resumo, nosso relacionamento com aqueles com os quais afirmamos nos preocupar profundamente torna-se desarmonioso e forçado.

Permita que os outros vivam sua vida, enquanto você vive a sua – viva e deixe viver. Pare de fazer suposições sobre as coisas e como as pessoas deveriam ser! Faça um pacto com você mesmo. Não faça suposições.

PACTO 5

PARE DE FAZER SUPOSIÇÕES

CHAVES PARA PARAR DE SUPOR

Passo 21: Lembre-se de que você é um sistema operante inteligente e que seu sistema vê e interpreta, baseado em memórias passadas.

Passo 22: Saia da imagem congelada.

Passo 23: Afirme que pode ser suposição. Coloque-se em dúvida.

Passo 24: Pergunte a si mesmo: tenho absoluta certeza disso?

Passo 25: Coloque uma pessoa imaginária no seu lugar e sinta como ela agiria.

PACTO 6

NÃO TOME NADA COMO PESSOAL

ALGO PESSOAL

O que é "algo pessoal"? É tudo aquilo com que nos identificamos. Pode ser uma ideia, um amigo, uma pessoa de que gostamos, um bem material, nosso corpo, nossa forma de ser etc.

Criamos frequentemente padrões de identificação com coisas, palavras e atos que chegam até nós. Muitas vezes, aborrecemo-nos porque tomamos algo como pessoal.

SENTIR-SE MALTRATADO É DIFERENTE DE SER MALTRATADO

Em algum momento da vida, cada um de nós sentiu-se ferido ou maltratado por alguém. Isso não significa que esse alguém fez algo contra nós propositadamente. Quando dizemos "Eu me senti...", é diferente de acusar o outro de ter feito algo contra nós! Trocamos simplesmente os papéis e deixamos de ser vítimas.

Algumas pessoas reagem bem a uma contrariedade; outras, não. Não é fácil ter uma compreensão maior quando nos sentimos maltratados, criticados ou, mesmo, injustiçados. Os sentimentos de raiva, medo e vingança, dentre outros, começam a despertar em nossos corações por meio de um processo mental viciado. O processo se inicia no coração e retorna distorcido.

Quando alguém faz algo e nos sentimos machucados pela ação do outro, isso significa que, primeiro, somos levados pelos sentimentos; depois, partimos para a interpretação. Durante a interpretação, analisamos a ação sob inúmeros pontos de vista, até escolhermos um que irá alimentar um sentimento no coração. Esse sentimento, por sua vez, ratifica o que a mente concluiu, consolidando no corpo essa conclusão ou eliminando-a. Esse é o processo usual nesses casos.

TRÊS PADRÕES DE COMPORTAMENTO REATIVO

Existem três padrões de comportamentos reativos a uma ocorrência: agressão, anulação e aceitação.

AGRESSÃO

O primeiro padrão se refere às pessoas que assumem tudo como pessoal e iniciam um processo de sofrimento. Brigam, alimentam discórdias, fecham-se, colocam-se como vítimas etc. Tomam as coisas como pessoal e agridem, no estilo "bateu, levou".

Certa vez, Cláudio, dono de uma loja em Belo Horizonte, confidenciou que padecia de um grande mal: a raiva de alguns clientes. Um dia, quando atendia uma cliente, entrou em sua loja uma pessoa muito nervosa, dizendo que todos os empresários eram ladrões e precisavam ir para a cadeia. Imediatamente, ele tomou aquilo como pessoal e ofensivo, e sentiu-se lesado moralmente. Discutiu imediatamente com a mulher e, depois, levou o problema para casa, ficando com isso na cabeça durante uns bons dias. Tempos depois, descobriu que aquela mulher era prima de um amigo e que estava desempregada. Ela possuía uma natureza revoltada e passava por muitos problemas pessoais. Quando ele entendeu a realidade da tal mulher e que ela poderia ter feito aquilo com qualquer um, devido ao momento que vivia, perguntou-se: "Por que raios fiquei achando que era comigo? Que perda de energia eu tive naqueles dias com aquela mulher!!!".

O que ocorreu com o Cláudio acontece com muitos de nós. Assumimos reações, atitudes e problemas dos outros como se fossem contra nós. E, na maioria das vezes, não têm nada a ver conosco!

Assim, gaste sua energia para quando realmente for o caso! Ao olhar as questões por esse prisma, você para de agredir. O sentimento de agressão, fruto da vitimização, é substituído pela compaixão.

ANULAÇÃO

Um segundo padrão muito comum é notado em indivíduos que tomam as coisas como pessoais, sem reconhecer esse sentimento, e levam a vida como se nada tivesse acontecido. Essas pessoas dizem ou mostram que está tudo bem, não tocam no assunto, não se lamentam, passam uma imagem de pessoas muito fortes, porém tudo fica retido dentro delas. Elas sentem tudo, mas anulam o que sentem, guardando ou mentindo para si mesmas. Com isso, vão se distanciando aos poucos de seus sentimentos e de si próprias.

Essa reação de tomar algo internamente como pessoal é fruto de uma necessidade de aceitação ou de preocupação com o que os outros vão pensar. Isso não significa que é necessário reagir em público, mas é fundamental ter consciência do que sentimos e do que personalizamos. É importante pensar e refletir. Normalmente, não se trata de algo pessoal, mas que tomamos como pessoal, sendo recomendável que não o anulemos. É importante que nos permitamos sentir e descobrir o porquê disso. Isso vai nos ajudar a liberar sentimentos ligados a falsas impressões.

Emoções e sentimentos que não são colocados para fora acabam se corporificando, ou seja, vão para alguma parte do corpo.

Isso, depois de alguns anos, pode virar uma doença, pois nossas doenças, em sua maioria, são de fundo emocional.

Segue, a propósito, uma recomendação ao leitor: jamais se anule, jamais finja que está tudo bem com você se não for o caso. Aceite o sentimento e libere-o.

ACEITAÇÃO
Já o terceiro padrão manifesta-se em pessoas que reconhecem seus sentimentos, respiram-nos, traduzem-nos, sem os levar para o lado pessoal, tirando aprendizados poderosos e soltando a situação. Essas pessoas não alimentam a questão ocorrida porque soltaram de dentro de si mesmas, de forma verdadeira, seus sentimentos ruins. Elas entendem e aceitam o outro ou o fator externo. Aceitar não significa ser passivo, mas assumir seu poder de limpar o sentimento e retornar a interpretação para o fato ou o comportamento do outro.

Quero repetir que, quando acontece algo que não desejávamos, e nos sentimos machucados, é inevitável surgir uma mágoa, não importa o tamanho dela. Dependendo do padrão que assumir, ela poderá ir embora, ser retroalimentada ou ficar escondida em nosso corpo, tomando forma para sair algum dia.

Não é fácil lidar com uma mágoa ou um aborrecimento, mas não existe outro caminho, se queremos progredir, a não ser entendê-la e trabalhá-la. Não temos habilidade para controlar um sentimento. Sentimento é sentimento. O máximo que conseguimos é controlar nossa reação quando sentimos algo. Mas não há como não sentir se o sentimento está presente.

O dr. Frederic Luskin afirmou o seguinte:

> [...] a tela da mente é igual à tela da tevê, que comandamos pelo controle remoto. Podemos assistir a canais dedicados a filmes de horror, a sexo, a novelas e à mágoa, assim como a canais que transmitem as belezas da natureza e a cordialidade das pessoas. Qualquer pessoa pode sintonizar o canal da mágoa ou o canal do perdão.

MUDANDO O CANAL

Minha pergunta é a seguinte: em que canal sua mente está sintonizada? No Canal "1", em que você assume tudo que lhe acontece como pessoal, ou no Canal "2", em que vê o fato com os olhos do observador, aceitando o que é do outro?

O "método dos dois canais", que apresento a seguir, é muito eficaz para desconstruir a tendência humana de tomar as coisas como pessoal.

Abra duas colunas – cada uma representando um canal – e

escreva na primeira coluna o que sente; na segunda, o que enxerga como observador. Tornar-se observador é essencial para sair da atitude de tomar as coisas como pessoal.

Assumindo como pessoal	Aceitando que isso vem da natureza do outro
Registre suas acusações sobre o outro.	Registre o possível motivo original e o entendimento ou o aprendizado.

Todas as situações abaixo, dentre milhares, fazem parte de nossas vidas. Vamos tomá-las como exemplos de como podemos construir padrões de resposta saudáveis ou não.

- Um cliente entra irritado em uma loja e o ataca com palavras fortes. Assumindo como pessoal: "Ele é um imbecil". Aceitando que é do outro: lembre-se de que o irritado é o cliente. Ele deve ter seus problemas.
- Sua mãe sempre compara seus defeitos aos de seu pai. Assumindo como pessoal: "Mas a senhora também é parecida com sua mãe". Ou "Não sou, não; eu sou eu mesmo! Não quero mais conversa!". Aceitando que é do outro: lembre-se de que o hábito de comparar é da sua mãe; é ela que precisa disso.
- Você levou uma bronca ofensiva de seu chefe por uma falha que você mesmo cometeu. Assumindo como pessoal: "Nossa, sou péssimo! O que vou fazer? Ele não gosta de mim!". Aceitando que é do outro: quem optou pela forma agressiva de agir foi ele; a agressividade está nele e ele precisava colocá-la para fora.

- Você foi fechado por um carro no trânsito, reclamou e o motorista o xingou. Assumindo como pessoal: "Vou atrás dele e fazer o mesmo". Aceitando que é do outro: ninguém se irrita se a irritação já não estiver presente. A irritação é do outro. Ele deve estar com problemas para agir assim.
- Seu concunhado o detesta, fala mal de você e o agride às vezes com palavras. Assumindo como pessoal: "Ele vai ver! Vou fazer o mesmo com ele!". Aceitando que é do outro: ele provavelmente tem dificuldade de lidar com pessoas que não estão sob o controle dele. Você já pensou nisso?
- Seu colega de trabalho roubou algumas de suas ideias e conseguiu a promoção que você tanto buscava. Assumindo como pessoal: "Ele queria me destruir, acabar comigo!". Aceitando que é do outro: isso é do caráter dele. Provavelmente, ele faria isso com outros!
- Seu gerente, com bastante frequência, reclama da atuação da equipe de que você faz parte. Assumindo como pessoal: "Ele não gosta mesmo da gente!" ou "Ele me persegue!". Aceitando que é do outro: já pensou que é o papel dele? Não é com você, mas lembre-se de que você faz parte da equipe!
- Seu filho não esteve ao seu lado quando estava doente. Assumindo como pessoal: "Ele só pensa nele! O que fiz para merecer isso?". Aceitando que é do outro: não espere que as pessoas sejam iguais a você.
- Seus projetos são, frequentemente, criticados. Assumindo como pessoal: "Pegaram no meu pé! Ele também deve falhar! Eu nunca faço direito!". Aceitando que é do outro: talvez este seja o papel dele! O que preciso aprender com isso?
- O porteiro do edifício cumprimenta todos os moradores, menos você. Assumindo como pessoal: "Ele é um grosseiro, também não vou mais cumprimentá-lo". Aceitando que

é do outro: talvez ele não tenha se identificado com você! Pergunte-se: "E daí? Por que ele deveria?".

As respostas acima são meras sugestões para ampliar nossa visão, a fim de não nos fixarmos em aspectos que transformem nosso entendimento em algo pessoal. Cada um deve criar suas respostas!

Sugiro, a seguir, quatro perguntas poderosas, que nos ajudam a ir além do pessoal:

1. O que essa pessoa fez ela faz normalmente com outros?
2. Será que ela fez isso só para me prejudicar? Tenho certeza absoluta disso?
3. Esse é um problema que ela tem? É um padrão dela?
4. O que aprendo com isso?

ARMADILHAS MENTAIS E EMOCIONAIS

Como podemos nos esquivar das armadilhas mentais e emocionais que a vida nos apresenta todos os dias, desde que acordamos até a hora em que vamos dormir?

Todos nós conhecemos pessoas que raramente se aborrecem ou se irritam com alguma coisa. O que será que essas pessoas fazem para conseguir isso? Será que vivem alienadas, em um mundo próprio, onde não deixam nada entrar? Será que não têm sentimentos, que seu sangue não ferve? Ou é da própria personalidade? Será que são seres superiores e, simplesmente, não se deixam abater?

Todos nós temos a capacidade e o poder de lidar com a raiva, a mágoa e sentimentos gerados pelas ações de outros. Para isso, é necessário "não tomar nada como pessoal". "Mas como podemos não tomar como pessoal?", o leitor deve estar se perguntando... Essa, portanto, é a pergunta!

Fantasticamente, temos dois caminhos. Um é o caminho da mente; o outro, do coração. Entretanto, para podermos trabalhar melhor esses conceitos, vamos entender algumas coisas antes.

A raiva é uma manifestação de energia. Todo sentimento, aliás, é uma manifestação de energia – veremos isso com mais detalhes mais à frente. Trata-se, no caso, de um sentimento que não é necessariamente negativo. Ele existe para nos ajudar se soubermos lidar com ele. A raiva pode nos mostrar algo que está errado e revelar seu amor por nós; pode nos tirar de uma situação em que precisamos dizer "Basta", provocar mudanças e muito mais. Por essa razão, devemos procurar respirar o que sentimos, entender o que cada sentimento está nos dizendo, tirando completamente quem nos provocou da cena.

A chave para compreender o sentimento e traduzi-lo, repito, é retirar o agente externo. Porém, o leitor vai argumentar: "Louis, mas foi o fulano que fez isso!". Digo-lhe que ninguém aciona o que já não estava dentro de você! Ninguém lhe provoca sentimentos que já não estavam em você. A predisposição é sua. Independente do outro. Ninguém consegue feri-lo emocionalmente sem o seu consentimento. Na verdade, tudo que vem de fora, e se manifestou em você de forma não saudável, é porque já estava em você. Sendo assim, isso representa uma excepcional oportunidade de descobrir o que precisa melhorar a fim de não sofrer mais por isso. Se conseguir enxergar que é uma oportunidade de melhora pessoal, você vai efetiva e interiormente agradecer à pessoa que lhe proporcionou isso, mesmo que seja um padrão dela.

Provavelmente você deve estar pensando: "É fácil dizer isso quando não se está passando pelo que eu estou". Não estou dizendo que é fácil porque, de fato, não é. Porém, estou mostrando que você tem uma escolha e pode mudar toda a forma de se relacionar com as pessoas que lhe proporcionaram experiências, no seu entender, "negativas".

Um amigo desleal, um sócio fraudulento, um parente mentiroso muitas vezes podem representar para nós uma oportunidade de nos tornarmos mais donos de nossos sentimentos e de nossa vida.

E quando já estamos sentindo raiva e não conseguimos estabelecer um pensamento ajustado e desvinculado do outro?

Aqui está o outro caminho. Existe um processo simples e muito eficaz, embora doloroso: permita-se viver o sentimento e respirá-lo. Você deve estar se perguntando: "Como assim?"

Vou explicar. Quando sentimos raiva, muitos de nós somos educados para não manifestá-la, para fingir que ela não existe e esperar que ela se vá. Lembre-se: ela não vai embora, ela vai para dentro. Quero repetir isso para que você nunca esqueça: *a raiva não vai embora, ela vai para dentro*. O ponto crítico é colocá-la para fora, efetivamente; do contrário, não conseguirá um pensamento alinhado. E como fazer isso? Vou mostrar um processo muito eficiente que lhe trará paz e leveza.

Quando estiver com raiva de alguma coisa, por menor que ela seja – nunca subestime um sentimento, por mais insignificante que possa parecer –, vá para algum lugar bem longe de outras pessoas, onde ninguém tenha condição de perturbá-lo ou ouvi-lo, e coloque toda a sua manifestação verbal e física para fora. Deixe sair o que tiver de sair, como xingamentos, gritos, socos, agitações físicas etc.

Um amigo, por exemplo, tem um apartamento na região central de Porto Alegre, que usa para dormir, e é um ótimo lugar para fazer o que vou lhe mostrar (pois ele o faz). Você pode usar o porão da sua casa, um centro de terapias, o alto de uma montanha, um parque deserto, uma sala com isolamento acústico, seu carro etc.

Estando em um lugar apropriado, desligue o celular e qualquer equipamento que possa perturbá-lo. Comece a relembrar o fato. Permita-se sentir o que tiver que sentir. Comece a respirar, levando sua consciência para o sentimento. Deixe o som sair. Se sentir vontade de gritar, grite; se for para chorar, chore. Aliás, grite o tanto que precisar. Durante o tempo que for, continue respirando no sentimento. Sabe o que você está fazendo nesse momento? Um dos mais poderosos exercícios de cura, liberando aquele sentimento de seu interior. Mas lembre-se de que é fundamental respirar no fundo do sentimento, pois, sem isso, ele não sai. Se você, depois desse processo, acessar o sentimento novamente, faça a mesma coisa, faça tudo de novo quantas vezes for necessário. Se o sentimento voltou é porque você não respirou e liberou o suficiente.

Mas é realmente necessário, por exemplo, gritar? Não é. O grito, o choro, as expressões corporais são formas verdadeiras de manifestação do corpo emocional do sujeito. Portanto, não há nada de errado nisso. Mas cuidado para não se prender aos padrões normóticos da sociedade, que inibe esse tipo de manifestação, rotulando-a como loucura ou coisa pior. Repito que isso não tem nada de loucura; é permitir-se manifestar. Todavia, caso se sinta pouco seguro para isso, procure a ajuda presencial de um profissional que entenda, respeite e não interfira no seu processo. Alguém que apenas o sustente.

Quando colocamos nossos sentimentos ou nossas fraquezas para fora, o que nos resta? Nosso poder pessoal e nossas forças mais puras.

Como isso pode nos ajudar a não tomar as coisas como algo pessoal? A partir do momento em que nos liberarmos do sentimento, teremos uma capacidade maior de despersonalizar o fato, aprender com ele e ressignificá-lo.

Se o sentimento não existe dentro do indivíduo, quando alguém lhe fizer algo que poderia ser tomado como pessoal, simplesmente ele vai observar e atuar de outra forma. Quando o sentimento está dentro, o sujeito reage e toma como pessoal. Assim, as respostas para um mesmo fato são distintas.

Certa vez, eu estava em uma festa de minha ex-sogra. Era um aniversário comemorativo muito significativo para ela. Eu havia me separado da sua filha, mas a família me era muita querida e eu sentia o mesmo da parte deles. Eu e minha ex-mulher éramos muito amigos, como irmãos. No entanto, nem todas as pessoas aceitavam ou entendiam isso. Um membro agregado da família, que não concordava com a separação, excedeu-se na bebida e, em dado momento, alcoolizado, levantou-se e começou a me agredir com palavras, dizendo que eu não deveria estar ali. As palavras eram fortes e ofensivas. Naquela ocasião, eu tinha duas escolhas: ou assumir que era pessoal ou entender que aquilo era um problema dele. Naquele exato momento, ocorreu-me, em fração de segundos, o seguinte pensamento: este é um padrão dele, a grosseria que ele está fazendo é um padrão dele; o preconceito diante de uma pessoa separada é dele e, como não sabe lidar com ele mesmo, precisa agredir os outros. Na verdade, ele estava pedindo socorro. No episódio relatado, não tomei sua atitude como pessoal e tive compaixão. Olhei bem nos olhos dele, em silêncio, passei firmeza e amor, porque consegui sentir isso ali. Ele, desconcertado, levantou-se e saiu da comemoração. Sabe o que eu fiz depois da festa? Fui para a minha casa e eliminei algum resto de sentimento que ainda estava dentro de mim e foi ótimo.

O leitor deve se perguntar: isso foi resolvido? Em mim, foi. Agora, a vida dele é escolha dele. Se algum dia ele quiser se sentar, pedir desculpas ou não, e reatar a relação, será bem fácil para mim porque não tomei como pessoal.

Meus queridos, isso é um exercício diário porque somos submetidos constantemente a situações que nos desagradam. Mas pode ocorrer de perdermos o controle e reagirmos negativamente, movidos pelo sentimento. Se isso ocorrer, primeiro, não devemos nos culpar, e sim nos perdoar, dizendo a nós mesmos: "Está tudo bem. Eu estou aprendendo e tenho o direito de me expressar, mesmo de forma não saudável".

Lembre-se de perdoar a si mesmo. Depois, recomendo fazer todo o processo que descrevi anteriormente. Libere o sentimento, despersonalize a situação. Você verá, depois de ter feito isso, que tudo é muito mais fácil de ser aceito. Aceitar o que ocorreu, aceitar o outro e até aceitar sua reação. Tudo será superado. Mas o resultado depende de você conseguir não levar para o lado pessoal.

NÃO TOMAR COMO PESSOAL NÃO SIGNIFICA SER PASSIVO

Quero lembrá-lo de que a atitude de não tomar como pessoal não significa que você deva se tornar uma pessoa passiva em relação às coisas que lhe ocorrem! Zangar-se com uma pessoa que esteja ameaçando seu filho, por exemplo, pode representar uma forma de protegê-lo. Permita-se agir.

Certa vez, descobri que uma pessoa que estava se formando como instrutor na minha empresa tentou roubar informações sigilosas sobre nossos clientes. Eu o retirei do processo e, em um acesso imaturo de vingança, ele tentou praticar outras ações ilegais. Não fiquei passivo, respondi a tudo e tomei todas as providências cabíveis, mas tinha claro em minha mente que essa desonestidade era um padrão dele, que um dia ele precisaria corrigir. É claro que isso não era pessoal do meu ponto de vista, mesmo que ele quisesse isso. Depois, eu o perdoei em meu coração. Incrivelmente, um dia ele chegou ao meu escritório, admitiu tudo o que tinha feito e pediu desculpas. Logicamente que o abracei e o perdoei. Foi fácil porque não havia tomado a situação como pessoal.

Se você não toma as coisas como algo pessoal, isso lhe dará mais poder para agir com firmeza, consistência e consciência. Se alguém abusou das palavras e você não as tomou como questão pessoal, consegue responder à situação de forma saudável e com chances de deixar um aprendizado educativo para o outro, sem gerar mágoas nele também. Se respondemos de forma que alimente nessa pessoa o sentimento que tivemos, simplesmente tomamos o fato, no fundo, como algo pessoal.

LUTAR OU FUGIR

Temos, às vezes, o padrão normótico de lutar ou fugir. Ou reajo, lutando para fazer o outro se redimir, sentir na pele o que eu senti, ou fujo da situação e escondo meus sentimentos, anulando-me e deixando-os guardados em algum lugar do meu corpo.

Quando alguém nos faz sofrer, é importante proferir a seguinte pergunta: "De quem é a culpa?". Porque é muito fácil responsabilizar o outro – mesmo que ele tenha agido de má-fé. Isso não significa que tenhamos de entrar nesse jogo. Esse jogo é dele. Nós entramos se quisermos. Quando buscamos culpados, colocamo-nos automaticamente como vítimas. Pare de ser a grande vítima da cena de sua vida. Saia desse papel. Você não veio ao mundo para isso. Seja protagonista de sua vida.

Cada pessoa reage e age de acordo com seus padrões. É importante nos lembrarmos sempre: isso é um padrão dela! Só ela pode mudar isso. E ela mudará se quiser! Portanto, devemos separar a ação da pessoa, procurando aprender o que isso significa para nós, por que tivemos de passar por tal situação! Ao deixarmos de tomar como pessoal, fica mais fácil adotar uma atitude mais acertada.

Muitas vezes, quando usamos esse processo, conseguimos entender o outro e se torna mais simples perdoar de forma real e concreta. Isso difere daquele perdão falso, da boca para fora, destinado a agradar nossos ouvintes e mostrar que somos generosos. Trata-se de um perdão verdadeiro, fruto daquele sentimento que está limpo em nosso coração e em nossa mente. Esse é o perdão verdadeiro.

É preciso sempre lembrar: errar é humano, perdoar é divino.

ORAÇÃO CELTA
Que jamais, em tempo algum, o teu coração acalente ódio.
Que o canto da maturidade jamais asfixie a tua criança interior.
Que o teu sorriso seja sempre verdadeiro.
Que as perdas do teu caminho sejam sempre encaradas como lições de vida.
Que a música seja tua companheira de momentos secretos contigo mesmo.
Que os teus momentos de amor contenham a magia de tua alma eterna em cada beijo.
Que os teus olhos sejam dois sóis olhando a luz da vida em cada amanhecer.
Que cada dia seja um novo recomeço, onde tua alma dance na luz.
Que, em cada passo teu, fiquem marcas luminosas de tua passagem em cada coração.
Que, em cada amigo, o teu coração faça festa, que celebre o canto da amizade profunda que liga as almas afins.
Que, em teus momentos de solidão e cansaço, esteja sempre presente em teu coração a lembrança de que tudo passa e se transforma quando a alma é grande e generosa.
Que o teu coração voe contente nas asas da espirituali-

dade consciente para que tu percebas a ternura invisível, tocando o centro do teu ser eterno.
Que um suave acalanto te acompanhe, na Terra ou no espaço, e por onde quer que o imanente invisível leve o teu viver.
Que o teu coração sinta a presença secreta do inefável!
Que os teus pensamentos e os teus amores, o teu viver e a tua passagem pela vida sejam sempre abençoados por aquele amor que ama sem nome. Aquele amor que não se explica, só se sente.
Que esse amor seja o teu acalanto secreto, viajando eternamente no centro do teu ser.
Que esse amor transforme os teus dramas em luz, a tua tristeza em celebração, e os teus passos cansados em alegres passos de dança renovadora.
Que jamais, em tempo algum, tu esqueças da Presença que está em ti e em todos os seres.
Que o teu viver seja pleno de Paz e Luz.

USANDO A MENTE PARA SE ISOLAR DO FATO

Comprou? É seu! Se você comprar a ação do outro, você entrou no joguinho e é isso que ele quer. Outro método eficaz de não tomar as coisas como algo pessoal é usar a mente para se isolar do fato. O leitor deve observá-lo de fora. Se você começa a olhar de fora, não comprará como algo seu. Mesmo que tenha sido intencional, contra você, não precisa assumir como seu. Isso não significa ser passivo, mas, se não comprar como seu, agirá com muito mais lucidez e sabedoria. Você simplesmente muda o enfoque de culpa e raiva para o entendimento do que é o outro. Para isso, você pode trocar conclusões e falas. Vejamos, a seguir, alguns exemplos.

A – Fato: "Marcelo não quis assinar o contrato só para me prejudicar". Sugestão de entendimento: "Marcelo deve ter suas razões para não assinar o contrato, e elas podem ser boas ou não. Vou procurar entender o porquê disso".

B – Fato: "A Renata disse que você é esnobe". Sugestão de entendimento: "Por que será que ela pensa assim? Posso ter feito algo, ou pode ser uma questão dela mesma. Vou observar melhor".

C – Fato: "Os resultados deste departamento estão péssimos. Você é inútil à companhia". Sugestão de entendimento: "Quais serão os motivos para ele pensar assim? Baseado em quê? Ele pode estar certo? Em que posso contribuir para mudar isso?".

Devemos ter cuidado para não adotar uma postura esquiva e fujona de nossas atitudes e responsabilidades, quando atacados. É sempre importante refletir também sobre nossa responsabilidade.

Muitas vezes, em jogos pesados e estratégicos que envolvem dinheiro e poder, somos atacados por pessoas com más intenções. Não estou orientando o leitor a tapar os olhos, mas lhe mostrando que, ao não tomar algo como pessoal – mesmo que isso o afete e seja o propósito do outro –, mais conscientes e lúcidas serão sua posição e suas ações.

> *Já que o desrespeito, a voz ríspida e as palavras desagradáveis não causam nenhum mal ao meu corpo, por que, mente, você sente tanta raiva?*
> **Shantideva**

É sua capacidade de ver por cima ou de fora, sem ego, que conta, meu amigo.

A HORA DA VERDADE É QUANDO SOMOS ATACADOS

Não somos perfeitos, embora algumas vezes vivamos como se fôssemos. Quando não somos aceitos pelos outros, seguimos nossa vida como se tivéssemos que ser. Aí residem nossas angústias. Muitas vezes queremos que tudo na nossa vida esteja bem, queremos que todas as pessoas gostem de nós, mas nos esquecemos de que as pessoas são diferentes, têm formações diferentes, estilos, gostos, problemas, funções e disfunções que muitos de nós desconhecemos. O ser humano é, na verdade, um corpo habitado por um mundo de gente.

Um amigo em Alagoas sofria muito porque percebeu que um colega o detestava. Ele entrou em crise e passou a viver esse pesadelo em sua mente. Refletia a todo momento sobre qual era o motivo de o outro não gostar dele, embora fosse uma pessoa tão querida por todos. Nunca encontrara alguém com quem não se relacionasse bem. Por isso, sofria com a situação. Ele tentou conversar, se aproximar para descobrir o que tinha feito ao outro. Ele mesmo estava disposto a fazer qualquer coisa para acabar com aquela indisposição. Pediria perdão, fosse o que fosse. Porém, isso não foi o suficiente. Quanto mais ele tentava se aproximar, mais maltratado era. Sentava-se para conversar e o colega se levantava e saía na maior grosseria. A revolta, então, começou a lhe tomar o espírito. O sentimento passou a ser de revanche. Um dia, ele foi muito maltratado e resolveu revidar na mesma moeda. Quando já se preparava para agir, parou e pensou: "O que estou fazendo comigo? Ele é grosseiro por natureza, eu não. Se eu agir como ele, ele estará definindo minhas atitudes. Quem controla minhas atitudes sou eu, eu sou educado por natureza. Não vou deixar que ele dite minha conduta". E respondeu com um tratamento zeloso e respeitoso.

Esses pensamentos passaram como um raio na mente de meu amigo, porém com tal profundidade que ele descobriu a grande arte de conviver com pessoas. Não são elas que ditam nossos comportamentos; somos nós, se quisermos. Se eu reagir como o outro quer, o outro estará definindo o meu comportamento. Se alguém me trata mal e eu faço o mesmo, foi o outro que me dominou e definiu meu comportamento. Quando nos sentimos atacados, nosso corpo se contrai pelo cérebro reptiliano e o sistema límbico ativa emoções negativas. Nessa hora, nossas reações já estão sob suspeita, pois estamos regulados pelo instinto de defesa. Ora, nunca vamos acabar com os tratamentos desagradáveis e ruins se respondermos na mesma moeda, e sim nos manifestando de forma respeitosa. Devemos evitar reagir quando nosso corpo estiver contraído. Ao reagirmos de forma positiva, depois de uma descontração, estaremos dizendo ao outro muitas coisas. Por exemplo: "Quem manda em mim sou eu"; "Não tomo isso como pessoal"; "Quero lhe mostrar uma forma melhor de tratar os outros"; "Aprenda comigo"; "Sua grosseria vai morrer em você" etc.

Os motivos que levam uma pessoa a tratar mal o outro, gratuitamente, são tão numerosos que seria impossível citá-los. No entanto, ciúme, inveja, experiências passadas, desordem psicológica e medo, dentre outros, são muito comuns.

Quando alguém aparecer em sua vida tratando-o mal, gratuitamente, lembre-se: esta pessoa o está ajudando a ter domínio sobre você mesmo. Ora, então você deve agradecer a ela! Pode se mostrar grato tratando-a bem! O mal nunca termina com o mal, mas com o bem.

Então, você já foi agredido por alguém por meio de palavras ou ações? Isso pode acontecer com qualquer um a qualquer momento. O problema é quando a força é usada.

Há muitos anos, a força era um instrumento poderoso de dominação em todos os níveis da sociedade. A cada dia que passa, estamos entrando em um mundo onde a sutileza será o princípio mais forte. Não tomar certos fatos como algo pessoal é assumir o poder da situação e pensar de forma mais lúcida.

E quando uma pessoa vai contra nossas ideias? Diz que estamos errados, rejeita-nos, questiona nossos projetos... Podemos facilmente tomar isso como pessoal? Sim, é o que mais vejo! Perdemos nosso controle por muito pouco!

Emoção por emoção só dá nessas horas em confusão. Ter controle e saber raciocinar requer mais do que vontade. Usar a força em momentos assim é o mais fácil. E é exatamente isso que a outra parte quer.

Imagine o leitor se, neste momento, eu lhe dissesse: "O que o outro quer é que você se altere". E eu lhe perguntasse: "O que você quer? Ser dirigido ou dirigir?". Esta pergunta ajuda imensamente o indivíduo a parar e usar um pensamento mais elevado, em vez de transformar o impulso no objeto condutor de suas reações. Assim, eis uma nova dica: faça um pacto com você mesmo – não tome nada como pessoal.

PACTO 6

NÃO TOME NADA COMO PESSOAL

CHAVES PARA NÃO SE OFENDER FACILMENTE

Passo 26: Sentir-se maltratado é muito diferente de ser maltratado.

Passo 27: Pare de se colocar como "vítima".

Passo 28: Aceite que o comportamento vem do padrão do outro.

Passo 29: Lembre-se: comprou? É seu.

Passo 30: Evite reagir quando seu corpo estiver todo contraído. Mude a interpretação. Ative um novo sentimento. Atue com consciência.

PACTO 7

SEJA IMPECÁVEL COM AS PALAVRAS

É melhor tropeçar com o dedo do pé do que com a língua.

Provérbio swahili

O silêncio é a única linguagem do homem realizado. Pratique a moderação no falar. Isso irá ajudá-lo de muitas formas, desenvolvendo, inclusive, o amor divino, pois muitos desentendimentos e separações surgem de palavras descuidadas. Quando seus pés escorregam, a ferida pode sarar; mas, quando a língua escorrega, a ferida causada no coração de outros durará por toda a vida. A língua é responsável por quatro grandes erros: falsidade, escândalo, encontrar faltas nos demais e falar em demasia. Todos esses males devem ser exterminados para que exista paz para o indivíduo, bem como para a sociedade.

Sai Baba

A FORÇA DA PALAVRA

A palavra e a pedra, depois de lançadas, não voltam mais. A impulsividade, a pressa e a impaciência levam-nos a falar antes de refletir. Somos impulsionados, muitas vezes, pelas torrentes emocionais que criamos e despejamos em forma de palavras. Segundo Pierre Weil:

> *[...] a linguagem é a arma mais poderosa e eficiente que o ser humano possui. É com a palavra que nos comunicamos com o próximo. Uma palavra pode agradar, ferir, convencer, estimular, entristecer, instruir, enganar, louvar, criticar ou aborrecer as pessoas a quem for dirigida. É com a palavra que o trabalhador se comunica com os colegas. É por seu intermédio, também, que recebe instruções dos seus superiores. A linguagem é o instrumento essencial das relações humanas. Na comunicação entre pessoas, é tão importante quanto a enxada para o lavrador ou o torno para o mecânico.*

Ser impecável com as palavras não significa saber falar bem a língua, mas saber o quê, como, com quem, quanto e quando falar. Ser impecável é saber calar quando for preciso. "A palavra é de prata, o silêncio é de ouro", diz um velho provérbio. Ainda de acordo com Weil, "o silêncio é de grande utilidade. É muito mais fácil falar do que calar. Demanda grande capacidade de controle de si mesmo".

Se o que sai de sua boca não o ajudar nem for construtivo, opte pelo silêncio.

INTENÇÃO E CONFIANÇA

Um homem sentado na calçada tinha uma placa com os seguintes dizeres: "Vejam como sou feliz! Sou um homem próspero, sei que sou bonito, sou muito importante, tenho uma bela residência, vivo confortavelmente, sou um sucesso, sou saudável e bem-humorado".

Alguns passantes olhavam-no intrigados, outros o achavam doido e outros mais até lhe davam dinheiro. Todos os dias, antes de dormir, ele contava o dinheiro e notava que, a cada dia, a quantia era maior. Numa bela manhã, um importante e arrojado executivo que já o observava há algum tempo aproximou-se e lhe disse:

– Você é muito criativo! Não gostaria de colaborar numa campanha da empresa?

– Vamos lá. Só tenho a ganhar! – respondeu o mendigo.

Após um caprichado banho e trajando roupas novas, foi levado para a empresa. Daí em diante, sua vida foi uma sequência de sucessos e, algum tempo depois, ele acabou se tornando um dos sócios majoritários. Numa entrevista coletiva à imprensa, ele esclareceu como conseguira sair da mendicância para tão alta posição.

– Bem, houve época em que eu costumava me sentar nas calçadas com uma placa ao lado com esta mensagem: "Sou um nada neste mundo! Ninguém me ajuda! Não tenho onde morar! Sou um homem fracassado e maltratado pela vida! Não consigo um mísero

emprego que me renda alguns trocados! Mal consigo sobreviver!".
As coisas iam de mal a pior quando, certa noite, achei um livro e
nele atentei para um trecho que dizia: "Tudo o que você fala a seu
respeito vai se reforçando. Por pior que esteja a sua vida, diga que
tudo vai bem. Por mais que você não goste de sua aparência, afirme-se bonito. Por mais pobre que seja, diga a si mesmo e aos outros que você é próspero". Aquilo me tocou profundamente e, como
nada tinha a perder, decidi trocar os dizeres da placa. A partir desse dia, tudo começou a mudar, a vida me trouxe a pessoa certa para
tudo de que eu precisava, até que cheguei onde estou hoje. Tive
apenas que entender o poder das palavras. O Universo sempre
apoiará tudo o que dissermos, escrevermos ou pensarmos a nosso
respeito, e isso acabará se manifestando em nossa vida como realidade. Enquanto afirmarmos que tudo vai mal, que nossa aparência é horrível, que nossos bens materiais são ínfimos, a tendência
é que as coisas fiquem piores ainda, pois o Universo as reforçará.
Ele materializa em nossa vida todas as nossas crenças.

Uma repórter, ironicamente, questionou:

– O senhor está querendo dizer que algumas palavras escritas numa simples placa modificaram a sua vida?

– Claro que não, minha ingênua amiga! Primeiro, eu tive que acreditar nelas!

O que dizemos é matéria. Traduz-se em um campo mórfico, como se ficasse na existência. Quando falamos, criamos algo ainda não materializado que pode, com o tempo, traduzir-se em matéria e realidade. Nossas palavras são mais fortes e poderosas do que podemos imaginar. Por isso, ao mudarmos uma palavra, podemos mudar tudo.

O leitor precisa estar atento para as imagens que cria acerca de si mesmo quando fala com os outros. Por exemplo: você fala de prosperidade, alegria e abundância ou de sofrimento, problemas e infortúnios? Ao falar com as pessoas, elas formam imagens a seu respeito. Talvez você imagine que estará mentindo se contar a todo o mundo quanto sua vida é próspera, quando de fato não é; entretanto, se insistir em dizer isso, dentro de pouquíssimo tempo estará dizendo a verdade!

Assim, observe as suas palavras: elas criam sua realidade. Elas são reflexos de toda uma cadeia estruturada de modelos mentais e padrões emocionais. Uma forma de mexer nessa cadeia é acertando sua linguagem e seu conteúdo. Quanto mais correta, pura e objetiva for sua comunicação, mais alinhado você estará com relação a si mesmo e às pessoas.

As palavras são energia em forma. Elas têm força, vida própria. Elas vibram, e a vibração gerada cria ondas. As ondas nada mais são do que campos de ressonância de manifestação do Universo. O que você fala terá de alguma forma algum efeito, em algum tempo, em algum lugar, seja para você, seja para outros.

Os mantras utilizados em muitas práticas espirituais nada mais são do que sons sagrados que influenciam a vibração energética e, consequentemente, quem a produz. Um processo poderoso de uso de sons. Palavras são mantras. Assim, pergunte-se: "O que estou dizendo está provocando algo?". Tenha um objetivo construtivo ao falar.

A palavra *pecado* vem do grego e significa errar o alvo. Quando os arqueiros gregos deixavam de acertar o ponto de mira, dizia-se que haviam pecado ou errado o alvo. Que o leitor considere, portanto, seu desejo, objetivo ou ideal como o alvo em que está mirando. O fracasso em atingir o alvo ou em alcançar seu objetivo é pecar. Você estará pecando quando deixar de expressar, por suas palavras, saúde, riqueza, paz e progresso.

As pessoas que somente sabem reclamar, falar mal da vida, dos demais indivíduos, de si mesmas, das coisas, estão pecando no sentido de não contribuírem em nada para o mundo. Elas estão pecando porque estão construindo um mundo para elas que difere do propósito do Universo e da vida: progresso e prosperidade.

Um dia, um pai levou seu filho a um grande mestre e pediu

que este desse alguns conselhos ao garoto, pois ele sempre se metia em discussões com outros meninos e tinha problemas para se relacionar.

O mestre perguntou ao jovem:

– Quer mudar isso?

– Sim, mas eu não posso ficar calado quando alguém discute comigo! – O mestre, então, recomendou:

– Pense em um desses meninos e coloque tudo que queira dizer a ele em um papel. À noite, vá até a casa dele e deixe o papel na porta de entrada. Volte no dia seguinte, logo pela manhã, pegue o papel e traga-o para mim.

O garoto obedeceu, mas, quando voltou na manhã seguinte, o papel não estava mais lá; provavelmente tinha sido levado pelo vento. Quando se encontrou novamente com o mestre, relatou o fato com certo incômodo. O mestre então disse:

– Você teve duas lições importantes nessa noite. Você ficou feliz de ter dito tudo que queria?

– Sim.

– O menino ficou chateado com você?

– Não, porque ele nem leu a carta.

– Então você teve duas vitórias! A primeira é que colocou para fora o que sentia, e a segunda é que não agrediu ninguém nem colocou pessoas contra você! São duas vitórias! Lembre-se de que as palavras são como o papel na porta; quando são soltas, não voltam mais. Não precisamos dirigi-las às pessoas, até porque elas voltam para nós. Mas podemos limpar sentimentos e pensamentos por meio delas, sem magoar ou ofender os outros.

Alguns anos depois, o menino escreveu ao mestre: "Querido mestre e amigo, escrevo-lhe hoje para lhe contar que não preciso mais dos papéis escritos, pois minhas palavras somente funcionam para construir. Muito obrigado pelo ensinamento!".

As palavras acabam por se materializar e voltar para cada um. Para o sujeito, ser impecável é estar alinhado, é ser completamente consciente do que está falando. É falar a partir de um nível de entendimento em que tudo e todos à sua volta são considerados. É estar conectado com o coração. É ser espontâneo com sabedoria – não a espontaneidade inconsciente que leva a pessoa a não considerar ninguém, a não ser o desejo de se expressar e se manifestar por meio de palavras.

Por isso, é importante ter um objetivo construtivo ao falar.

OS TRÊS CRIVOS

Certa feita, um homem esbaforido aproximou-se do grande filósofo e sussurrou-lhe:

– Escuta, Sócrates... na condição de seu amigo, tenho uma coisa muito grave para lhe dizer, em particular...

– Espera! – ajuntou o sábio prudente. – Já passaste o que vais me dizer pelos três crivos?

– Três crivos? – perguntou o visitante, espantado.

– Sim, meu caro amigo, três crivos. Observemos se tua confidência passou por eles. O primeiro é o crivo da verdade. Guardas absoluta certeza quanto ao que pretendes comunicar?

– Bem... – ponderou o interlocutor. – Assegurar mesmo não posso, mas ouvi dizer e então...

– Exato. Decerto peneiraste o assunto pelo segundo crivo, o da bondade. Ainda que não seja real o que julgas saber, será pelo menos bom o que me queres contar?

Hesitando, o homem replicou:

– Isso não, muito pelo contrário...

– Ah! – tomou o sábio. – Então recorramos ao terceiro crivo, o da utilidade, e notemos o proveito do que tanto o aflige.

– Útil?!... – perguntou o visitante ainda agitado. – Útil não é...

– Bem... – concluiu o filósofo com um sorriso –, se o que tens a confiar não é verdadeiro, nem bom e nem útil, esqueçamos o problema e não te preocupes com ele, já que nada valem casos sem edificação para nós!

O mesmo vale para o que falamos. Talvez este seja um dos pactos mais desafiantes, pois não fomos educados sobre como falar e escutar.

Toda fala torna-o responsável por algo, tem impacto algum ponto. Você tem perfeita noção do impacto que cada palavra que sai de sua boca ou texto causa? Por isso, pense antes de falar. Seja consciente. Aliás, antes de falar, pergunte a si mesmo:

Isso é verdade?
Isso é bom para todos?
Isso é útil?

A PALAVRA COMO PROMESSA

Se falar ou prometer algo, caro leitor, cumpra. Isso afeta sua integridade e sua história de vida.

Integridade é uma palavra séria. Tão séria que, às vezes, transferimos a importância de seu significado para cobranças e críticas injustas às pessoas em nossa volta ou, mesmo, para sujeitos públicos. Sem querer defender ninguém nem a classe pública, vamos primeiro dar uma volta pelo conceito.

A definição mais lúcida que já li até hoje sobre integridade foi de Stephen Carter, da Universidade de Yale. Ele disse que integridade requer três passos-chave em relação ao indivíduo:
1. discernir o certo do errado, segundo suas crenças;
2. agir com base no que discerniu, mesmo que isso lhe custe algo pessoal;

3. dizer de forma clara e aberta que está agindo de acordo com sua compreensão do que é certo e errado.

CUIDADO COM O CRITICISMO

Precisamos mudar nosso paradigma, trocar o julgamento pelo discernimento. Chegou o tempo de entender que não devemos julgar ninguém, mas discernir. Isso nos poupa palavras e alinha o verbo, se for necessário manifestá-lo.

Dale Carnegie já dizia: "Não critique, condene ou se queixe". Nós temos a tendência de julgar as pessoas com base em nossas crenças e em nossos discernimentos. Como podemos querer que os outros sejam iguais a nós ou ao que gostaríamos que fossem? Isso seria uma forma de autoafirmação ou minha incapacidade de ver as coisas do ponto de vista do outro, sem me envolver emocionalmente? Ou seria, ainda, uma forma de mostrar que sou melhor do que os outros? O cinismo se dá quando acredito que sou mais do que o outro: mais rico, mais pobre, mais honesto, mais culto, mais burro, mais capaz, mais e mais.

Por um outro lado, algumas pessoas vivem para ser aceitas pelos outros, por suas atitudes, ações e decisões. Essas pessoas, no fundo, estão alimentando sua insegurança, despersonalizando-se diante de um mundo que estereotipa facilmente os seres humanos.

Dica para o leitor: pare de se preocupar com o que os outros vão pensar, concentre-se no que acredita que é certo e diga por que está realizando determinadas ações. Se suas ações foram "erradas", mas se agiu de acordo com o que pensa e comunica, você teve integridade. Você pode errar, todos têm o direito de errar; ninguém é perfeito para acertar de primeira; no entanto, um erro não significa necessariamente falta de integridade se a ação foi baseada em seu discernimento e no que foi falado.

Recentemente, um amigo assumiu um cargo executivo importante em uma empresa de alimentos industriais e percebeu que o estado financeiro da organização era precário e que precisaria enxugar o quadro de funcionários. Entrevistou todas as áreas, comunicou que precisava fazer cortes e que iria realizar isso com base em alguns critérios de produtividade. Ao final, ele demitiu 48 empregados de um total de 350. Uma das pessoas demitidas relatou:

– Estou triste por sair, não gostei desse homem, ele é muito inflexível, duro e fechado, mas ele foi íntegro, pois falou o que ia fazer, o porquê e agiu com base no que disse.

Pense bem antes de julgar a integridade de qualquer pessoa. Eu lhe pergunto: você julga a integridade de alguém pelos seus valores ou pelos dele? Seja capaz de olhar para você e de se transformar. Quebre seus hábitos negativos. Terá tanto trabalho com isso que não terá tempo para destilar venenos. Então, passe a medir cada palavra que sai de sua boca. Suas palavras têm poder! Deixo, a seguir, algumas questões para sua reflexão.

O que estou dizendo condiz com a verdade?
O que estou dizendo agrega algo para quem está ouvindo?
Estou construindo um mundo melhor com o que estou dizendo?
É justo o que digo?

AFASTE-SE DA MENTIRA

Mentir é dizer algo contrário à verdade. A mentira é um mal comum nos dias de hoje. As pessoas aceitam determinadas mentiras e até se sentem bem em conviver com elas. Suas relações são uma mentira, seu casamento é uma mentira, sua forma de trabalhar é uma mentira, sua rotina é uma mentira, tudo entre muitas outras mentiras mais. A pior das mentiras são as mentiras pessoais. Aquelas com as quais tentamos, em vão, enganar a nós mesmos. Quanta gente aceita as mentiras de suas vidas! Todos vivem um mundo de mentiras – aqui saliento o fator mentira pela palavra. Quanto mais o sujeito mente – e se ilude achando que não faz isso –, mais atrairá uma realidade que não é sua, mais irá se distanciar de sua verdade, de sua vida, de seu alvo.

Há um ditado popular que diz: a verdade é como óleo sobre as águas; está sempre por cima, enquanto a mentira busca esconder um pecado. O grande desafio dos próximos tempos é o indivíduo acordar para o hábito da mentira e iniciar um processo de parar de mentir, primeiro para si mesmo, e depois observar o que sai de sua boca. Mas, para isso, é necessário ter coragem suficiente para enfrentar uma sociedade que estimula o ser humano a mentir.

EMPODERANDO AS PESSOAS POR MEIO DA PALAVRA

Uma das maiores forças do ser humano é sua capacidade de reconhecer o poder do outro.

Somos seres humanos e facilmente caímos na armadilha de que, para nos tornar melhores, precisamos nos concentrar em nossas fraquezas. Esse é apenas um aspecto da evolução. Enquanto não reivindicarmos nosso poder pessoal, não adiantará querermos trabalhar os "pontos fracos".

Se nos concentramos somente em fraquezas, criamos uma energia de culpa que nos torna ainda mais estagnados. A culpa é um dos sentimentos mais estagnadores que existem. Se fazemos isso conosco, imagine o leitor a maneira como nos relacionamos com o mundo e com as pessoas! Uma boa forma de reivindicar nosso poder pessoal é perceber, nomear e compartilhar o poder dos outros. Nada é mais poderoso do que isso.

Certa vez, estava caminhando pela orla da Barra da Tijuca, no Rio de Janeiro, e tive vontade de beber uma água de coco. Quando me aproximei da barraca, percebi nitidamente, no semblante da senhora que estava atendendo o público, certo desgosto, que se refletia na forma de tratar as pessoas. O tratamento rude, como se estivesse fazendo um favor e ao mesmo tempo despachando cada cliente, era a tônica principal. Naquele momento, tive vontade de ir embora, até porque havia outras barracas à frente. Mas uma voz me disse: "Fique e empodere essa pessoa". Em outra oportunidade, escutei o mesmo de Steve Rother, um famoso escritor. Quando chegou minha vez, fui tomado de um sentimento real de querer ver algum poder nela. Enquanto a mulher me atendia, comecei a conversar com ela, que se abriu, muito provavelmente porque meu sentimento era verdadeiro. Ao longo de nossa rápida conversa, percebi que ela acabara de ingressar na faculdade de Enfermagem e concluí-la era seu sonho.

Brotaram em mim, de forma muito espontânea, palavras que reconheciam o poder daquela mulher. Comentei com ela:

– Sabe que você me dá muita esperança?

– Por quê?

– Porque, dentre muitas opções, você escolheu uma carreira para cuidar do ser humano e está aqui trabalhando dez horas por dia, simplesmente para poder realizar isso. São pessoas como você que dão esperança ao mundo.

Ao me despedir, ela repetiu com um sorriso espontâneo, duas vezes: "Um ótimo dia 'pro' doutor"! Tenho a convicção de que empoderei aquela mulher. Mostrei sua força e o poder de suas escolhas dentro de si mesma.

O processo é simples e vem do coração: primeiro, você deve

querer perceber. Depois, sugiro que, mentalmente, nomeie, ou seja, encontre a força, o ponto-chave, pois todos a têm. Por fim, compartilhe isso com a pessoa, o que é muito diferente de um elogio, mesmo que seja sincero, porque vai além. Requer que você se conecte com o poder pessoal de alguém.

Quando reconhecemos o poder de uma pessoa e a ajudamos a percebê-lo, estamos devolvendo algo ao ser humano que lhe é de direito. Isso significa que empoderar as pessoas habilita-nos a aprender a construir um mundo a partir do melhor que existe em cada um. Se aprendemos a fazer isso com qualquer um, nas mínimas situações, acabaremos fazendo o mesmo conosco. Assim, é importante lembrar os quatro fatores para um real empoderamento:

deve ser incondicional;
precisa existir o desapego em relação à gratidão do outro;
deve ajudar a própria pessoa a se sustentar;
deve haver equilíbrio e responsabilidade nas palavras.

Experimente! Seu poder para empoderar está aí, bem à sua frente! Você poderá fazer uma enorme diferença na vida das pessoas.

CARTA À MINHA AMIGA E MENTORA, MARGARET ANDERSON

Obrigado...
Por me mostrar que, na vida, os princípios certos nos impulsionam; por me mostrar que devemos nos concentrar primeiro em nós mesmos; por me mostrar que pessoas inconscientes falam de pessoas; por me mostrar que pessoas lúcidas falam de ideias; por me encorajar a enfrentar as dificuldades quando ninguém mais acreditava em mim; por me ensinar a viver relações humanas sem hipocrisia; por me ensinar que, para ser jovem, é preciso tempo; por me dizer as coisas mais duras, fazendo-me sentir bem e feliz; por provocar mudanças radicais em mim com a sutileza de uma

pena; por me ensinar que o domínio das emoções é o domínio da vida; por me mostrar que reclamar é a habilidade dos tolos; por me ensinar mais pelas ações e menos pelas palavras; por me mostrar que rir na vida é a arte dos sábios; por me provar que o tempo revela tudo; por me ensinar que o "não" é também uma palavra importante; por ensinar que a luta por um mundo melhor justifica nossa existência; por me ensinar que o trabalho não para nunca, até que Deus queira.

Obrigado, minha líder, amiga e mentora, sem querer ter sido. É uma pena que já tenha partido, porém seu legado ficou em mim... Para sempre...

Em tempo: sugiro ao leitor que faça um pacto consigo – seja impecável com as palavras.

PACTO 7

SEJA IMPECÁVEL COM AS PALAVRAS

CHAVES PARA SE COMUNICAR COM CONSCIÊNCIA

Passo 31:   Se o que sai da sua boca não o ajudará, opte pelo silêncio.

Passo 32:   Tenha um objetivo construtivo ao falar.

Passo 33:   Honre cada palavra que sai de você.

Passo 34:   Antes de falar, pergunte a si mesmo: "Isso é verdade? Isso é bom para todos? Isso é útil?"

Passo 35:   Pare de mentir.

PACTO 8

APRENDA COM O OUTRO – AQUILO QUE O INCOMODA MUITO NO OUTRO TAMBÉM ESTÁ EM VOCÊ

O que vocês consideram um grave defeito nos outros muitas vezes deixam de ver em si mesmos.
                                                       Eva Pierrakos

A REALIDADE COMO ESPELHO

Na China antiga, um homem chamado Wong sentia-se hostilizado pelas pessoas da pequena aldeia onde morava. Um dia, o sr. Wong foi visitar o sábio da região e desabafou:

– Cumpro minhas obrigações para com os deuses, sou um bom cidadão, um exemplar chefe de família, vivo praticando a caridade... Por que as pessoas não gostam de mim?

A resposta do mestre foi simples: embora o sr. Wong fosse caridoso, o seu rosto sério levava todos a uma conclusão diferente. Ainda que fosse muito rico, era pobre de alegria e cordialidade, e nunca sorria, apesar de sempre ajudar as pessoas.

O sábio deu ao sr. Wong uma máscara sorridente, que se ajustava perfeitamente ao seu rosto. Advertiu-o, entretanto, de que, se algum dia a tirasse do rosto, não conseguiria recolocá-la. No primeiro dia em que Wong saiu à rua, todos começaram a cumprimentá-lo e, em pouquíssimo tempo, já estava cheio de amigos. Mas, um dia, chegando à conclusão de que as pessoas não gostavam dele, mas da máscara, pensou: "É preferível ser hostilizado a ser estimado por uma máscara falsa". Foi até o espelho e retirou a máscara sorridente. Mas que surpresa... O seu rosto tornara-se também sorridente, assumira as expressões e o sorriso da máscara...

O sr. Wong mudou sua face simplesmente porque começou a retribuir o que recebia. Isso nos remete ao simples fato de que entre mim e o outro existe uma relação fina de troca, seja positiva, seja negativa, e ela é sem dúvida uma oportunidade de muito aprendizado.

Sempre que o leitor julgar alguém, sempre que se sentir irritado, ressentido com os defeitos do outro, deverá refletir: "Será que eu não tenho algo semelhante e estou com dificuldade de reconhecer isso em mim, sendo mais fácil acusar o outro?".

PARE DE FALAR MAL DAS PESSOAS

Se o leitor quiser falar mal de alguém, conseguirá com facilidade. Se quiser falar mal de mim, deste livro ou de qualquer coisa, é bem fácil conseguir. O que mais vejo são pessoas falando mal umas das outras. Isso é comum, eu também já fiz muito isso. Mas é hora de realmente rever o que estamos construindo com essa prática.

Palavras são mantras queridos! Elas são mais fortes do que imaginamos e o que emanamos volta! Retornam porque simplesmente passam a fazer parte do nosso corpo energético e do nosso invólucro manifestado.

Se você não gosta ou não gostou de algo que alguma pessoa fez, expresse sua emoção, coloque-a para fora, mas não fique falando mal de alguém como forma de desabafo. Você somente aumentará o mal que faz a si mesmo. Tudo voltará. Esta, talvez, seja uma das atitudes mais pobres de um ser humano em relação a ele mesmo.

Jesus disse que a boca fala o que transborda do coração. Quando um sujeito roga praga em alguém, está invocando um fluxo de energia negativa que visa afetar essa outra pessoa. Ao falar, todo mundo (inclusive você, leitor) impregna tudo de energia. Mas lembre-se de que essa maldição teve um início, teve um "pai" e uma "mãe" para gerá-la, e essa criança vai levar a cabo sua missão, embora o bom filho sempre volte para casa. Em outras palavras, toda praga que jogar nos outros vai repercutir também em você de alguma forma. Por isso, pense realmente se vale a pena manifestar sua indignação ou raiva por meio da palavra dirigida a alguém de forma vingativa.

PERDOAR SEMPRE

Um dia, Paulinho voltou da escola muito bravo, fazendo o maior barulho pela casa. Seu pai percebeu a irritação e o chamou para uma conversa. Meio desconfiado e sem dar muito tempo ao pai, Paulinho falou, irritado:

– Olha, pai, eu estou com uma tremenda raiva do Pedrinho. Ele fez algo que não deveria ter feito. Espero que ele leve a pior. O Pedrinho me humilhou na frente de todo mundo. Não quero mais vê-lo. E espero que ele adoeça e não possa mais ir à escola.

Para surpresa de Paulinho, seu pai nada disse. Apenas foi até a garagem, pegou um saco de carvão, dirigiu-se até o fundo do quintal e sugeriu:

– Filho, está vendo aquela camiseta branca no varal? Vamos fazer de conta que ela é o Pedrinho. E que cada pedaço de carvão é um pensamento seu em relação a ele. Descarregue toda a sua raiva nele, atirando o carvão do saco na camiseta, até não sobrar mais nada. Daqui a pouco eu volto para ver se você gostou, certo?

O filho achou deliciosa a brincadeira proposta pelo pai e começou. Como era pequeno e estava um pouco longe, mal conseguia acertar o alvo. Após uma hora, ele já estava exausto, mas a tarefa havia sido cumprida. O pai, que o observava de longe, aproximou-se e perguntou:

– Filho, como está se sentindo agora?

– Isso me deu a maior canseira, mas... olhe: consegui acertar muitos pedaços na camiseta – disse Paulinho, orgulhoso de si.

O pai olhou para o filho, que até então não havia entendido a razão da brincadeira, e disse carinhosamente:

– Venha comigo até o quarto, pois quero lhe mostrar uma coisa.

Ao chegar ao quarto, colocou o filho diante de um grande espelho, e o menino ficou sem entender nada. Quando olhou para sua imagem, ficou assustado ao ver que estava todo sujo de fuligem e tão imundo que só conseguia enxergar seus dentes e os pequenos olhos. O pai então explicou:

– Veja como você ficou. A camiseta que você tentou sujar está mais limpa do que você. Assim é a vida. O mal que desejamos aos outros retorna para nós mesmos. Por mais que possamos atrapalhar a vida de alguém com nossos pensamentos, a mancha, os resíduos, a fuligem ficam sempre em nós.

Neste pacto, eu preciso confidenciar algo. Quero dizer a vocês, meus queridos, que custei a admitir que aquilo que me incomodava nos outros também estava em mim. Foi difícil. E mais: foi doloroso. Se o leitor ficou incomodado com este pacto, eu lhe adianto: leia-o e estude-o com muito carinho, traga os ensinamentos para sua vida e perceberá muitas coisas interessantes sobre você.

Vamos começar falando de um território onde vivemos muitos desafios: o relacionamento a dois.

O verdadeiro propósito das relações humanas é o aprendizado. Todos nós aprendemos nos relacionando. É comum casais divergirem, e não há problema nenhum nisso. O aprendizado reside em outra esfera, mais sutil. Ele existe na irritação e na raiva, quando manifestadas em alguma situação ou no comportamento de alguém na relação a dois. A irritação e a raiva são sinais poderosos sobre nós mesmos por meio do espelho que o outro representa. A disfunção é revelada pela emoção.

Quando sentimos raiva ou uma irritação forte devido a algum comportamento do companheiro ou companheira, isso pode ser um sinal de algo de que não gostamos em nós mesmos e que não foi reconhecido nem tratado.

Relacionamentos são acordos entre as partes para compartilhar realidades mútuas, de modo a obter *feedbacks* sobre a verdadeira natureza da experiência.

Se vivemos sempre os mesmos problemas com as pessoas e temos a sensação de que determinada situação se repete em nossa vida, isso nada mais é do que um sinal de que ainda precisamos desses "joguinhos" emocionais para alimentar nosso aprendizado.

Flávia é uma oftalmologista em Belo Horizonte. Antes de se casar, segundo sua mãe, sempre namorou homens que lhe traziam problemas. Eles a tratavam mal, moldavam-na, queriam ter pleno controle sobre ela. Ela sempre se queixava, apaixonava-se por eles e sofria nas relações. Quando terminava com um pelos motivos acima, aparecia um novo namorado, com personalidade diferente, estilo diferente, mas que a tratava da mesma forma. Até que um dia se casou.

Dois anos depois, sentada no sofá da casa de sua mãe, chorando, disse que era sempre agredida com palavras e que o marido era rude, entre outras coisas. Disse que sempre sonhara com um homem gentil, e não entendia por que o destino sempre trazia homens bonitos, sarados e dominadores para a sua vida. Ela sempre se apaixonava pelos homens errados. Dos poucos que conheceu que eram realmente diferentes ela não conseguia gostar.

Ora, a vida não trouxe nenhum desses homens para ela. Foi Flávia que os atraiu. Foi seu modelo de ressonância. Ela precisava desses homens para aprender algo. O problema é que, como não aprendia, o padrão se repetia. E sempre vai se repetir enquanto não houver aprendizado. Rompe-se uma relação e o padrão vem em outra, mais cedo ou mais tarde, se não existir aprendizado.

QUANDO NÃO APRENDEMOS, O PADRÃO SE REPETE

Nós não fomos preparados para lidar com padrões. Fomos condicionados a segui-los e aceitá-los. Por isso, levamos um tempo enorme para limpar os tais padrões e eliminar determinados tipos de relacionamentos de nossas vidas. Até porque o problema não está no relacionamento em si; o problema está em nós, e precisamos dos relacionamentos para resolver questões que são nossas.

No caso da Flávia, ela se separou, mas até hoje atrai os mesmos tipos em sua vida. E o leitor pode me perguntar: "Louis, você não fez nada?". A gente faz sim, mas quem muda é a pessoa, pois o poder e o comando da vida de cada um são exclusivos do próprio sujeito. O que posso dizer é que a Flávia não quis mudar esse aspecto. Ela diz que quer, mas no fundo não quer. O que isso significa então? Que ela precisa de mais experiências para aprender. Essa foi a escolha dela e deve ser respeitada. Cada pessoa faz seu caminho.

Agora, se você preferir enfrentar seus demônios nas relações problemáticas, convido-o a ler com atenção o modelo a seguir e sobre como rompê-lo. Adianto que irá olhar a todo momento para si mesmo e isso será relativamente doloroso, porém libertador.

Para isso, é preciso compreender o que é ressonância emocional e como isso pode mudar completamente a forma de lidar com as pessoas por meio das emoções. Afinal, tudo passa pelas emoções, e emoção se relaciona com energia. Lembre-se, portanto, de que energias estranhas são sempre atraídas para lugares onde as pessoas estão tensas ou nervosas.

Nossas emoções dizem mais do que qualquer outra coisa.

Quando temos uma dor no corpo, o que isso significa? Significa que algo está errado e nosso corpo está nos dizendo isso por meio de um instrumento, que é a dor. Quando sentimos raiva, medo ou tristeza, dentre outros sentimentos, o que isso significa? Significa que existem emoções alojadas em nossa alma que justificam nossos sentimentos e reações. Quando nos irritamos com alguém, por exemplo, na verdade não estamos nos irritando com a pessoa propriamente. A irritação nada mais é do que uma ressonância do que está em nós. Já imagino que muita gente não vai concordar com isso, porém reitero que todos devem considerar o que vou dizer.

A emoção é um sinal, um filamento de informação de algo que quer se comunicar e se libertar de nosso interior. Ninguém tem como provocar um sentimento em nós que já não esteja presente. Permita-me o leitor repetir isso: ninguém provoca em nós um sentimento que já não esteja presente.

Se a forma de agir de alguém nos incomoda, na verdade, nosso incômodo nada mais é do que algo que vimos no outro e que não reconhecemos em nós mesmos. O negativo que está no outro, se nos incomoda, de alguma forma está em nós também, manifestado de uma forma que não identificamos. Esse incômodo cria um canal de ressonância entre cada um de nós e o outro, que só se fecha quando reconhecemos nossas emoções e as liberamos. Enquanto não as liberarmos, elas vão se manifestar cada vez mais intensamente.

O leitor pode perguntar: "E se eu anulá-las?". Você irá colocá-las em seu corpo emocional, em sua alma. Isso tenderá a se corporificar. Nesse sentido, tudo se corporifica! A consequência dessa corporificação é a concentração de energia retida que poderá se transformar em uma doença no corpo. O problema nessa história toda é que o corpo, inteligente como é, não aceita essas corporificações emocionais manifestas. Ele acaba por eliminá-las. Lembre-se: nada fica no corpo. Ele expulsa tudo. E ele pode até expulsar você dele!

O SIGNIFICADO DA IRRITAÇÃO

Por que determinada pessoa nos irrita, nos incomoda e estimula em nós sentimentos aparentemente negativos? Porque este ser foi escolhido por *nós* para nos ensinar algo sobre nós mesmos. Atraímos as pessoas para nosso convívio. Ninguém chega gratuitamente em nossa vida. Concorde o leitor ou não, eu apenas o convido a abrir a sua mente, rever suas verdades e considerar esse aspecto das relações. Apenas considere e, depois de um tempo, procure chegar às suas próprias conclusões.

No dia em que entender o que uma certa pessoa lhe traz como ensinamento, o incômodo não terá mais significado e você não precisará repetir determinadas situações em sua vida. A pessoa irá embora de sua vida, você simplesmente não dará mais importância a ela, ou podem até construir algum relacionamento em um novo nível.

O MODELO DE RESSONÂNCIA EMOCIONAL

O CASO FRANK

Frank é engenheiro e trabalha em uma grande empresa de telecomunicações no Canadá. Ele teve um resultado muito significativo ao conseguir romper uma ressonância emocional negativa em sua vida. Ele fez isso sozinho, de forma intuitiva.

Durante toda a sua vida, Frank foi uma pessoa reservada, correta e sempre agia de acordo com o que dizia. Desde criança, adolescente, teve alguns problemas de relacionamento. Essas dificuldades, como descobriu depois de alguns anos, seguiam sempre a mesma linha ou padrão. Ele se irritava com a falta de transparência dos coleguinhas.

Tudo começava com problemas como fofoca, falatório pelas costas, falta de sinceridade etc. A partir disso, outros confrontos surgiam e ele acabava brigando até fisicamente.

Quando já trabalhava na companhia de telecomunicações, começou a se irritar profundamente com o comportamento de um engenheiro que ocupava um cargo igual ao seu. O colega não lhe passava todas as informações, embora ele não agisse assim. Seu diretor, reconhecidamente uma pessoa pouco habilidosa no trato com seus subordinados, pediu que Frank fizesse um esforço para não brigar com o colega a fim de evitar desgastes, mas, para ele, era muito difícil, pois em toda a sua vida nunca suportara aquele tipo de sujeito.

Ele procurou um terapeuta para ajudá-lo. Nas sessões de terapia, começou a aprender a identificar suas emoções. E uma vez reconheceu a raiva. Seu terapeuta perguntou-lhe onde ele sentia a raiva, mas ele não conseguia identificá-la no corpo. Apenas sentia muita raiva quando se lembrava de alguns fatos.

Lembro que nós não fomos preparados para lidar com emoções. Somos completamente analfabetos nesse sentido! Por isso tanto preconceito e medo em lidar com elas.

Nas sessões seguintes, o terapeuta sempre fazia com que ele revivesse as experiências passadas e, obviamente, os sentimentos brotavam com as lembranças. Quando vinham os sentimentos, o terapeuta estimulava a manifestação completa da raiva. Frank gritava e xingava muito. Até certo ponto, isso lhe fazia muito bem, pois estava liberando energias do corpo.

Um dia, durante uma sessão, ele conseguiu identificar onde estava sua raiva:

– Está na garganta! Está na garganta!
– O que significa estar na garganta?

Passadas algumas sessões, Frank trouxe novos elementos:
– Eu tenho dificuldade de dizer o que sinto e o que penso! Sempre guardo para mim o que queria ter dito!
– Você está sendo honesto e transparente não manifestando o que quer dizer?
– Lógico que não, estou com muita raiva de mim!!! Muita mesmo! Faz anos que isso acontece e só agora percebi!

Na sessão seguinte, muita raiva de si mesmo veio à tona. Tudo localizado na garganta, logicamente. Seu terapeuta provocava e fazia com que toda a sua raiva viesse à tona. Frank respondia bem às provocações e gritava muito.

Depois de várias sessões, Frank começou a não guardar mais as coisas e a dizer o que pensava em todas as situações de sua vida. Muitas pessoas estranharam, e muito. Sua família percebeu um homem até mais ativo e, em alguns momentos, confrontador, porém respeitoso, como era de seu feitio.

Incrivelmente, Frank passou a não se irritar mais com pessoas que tinham um comportamento voltado para fofocas e falta de transparência. Como não se irritava mais com esse tipo de comportamento, ficou muito mais habilidoso e conseguiu fazer com que seu colega passasse a lhe fornecer mais informações.

Frank, juntamente com seu terapeuta, descobriu algo maravilhoso e libertador no campo das relações humanas. O problema que tinha com os outros estava nele mesmo. Não era honesto consigo no tocante a se manifestar. Como isso estava dentro dele sem ser reconhecido, precisou, a vida inteira, atrair pessoas que o ajudassem a resolver isso. Essas pessoas tinham, logicamente, comportamentos espelhados. Esses comportamentos o irritavam, simplesmente porque ressonavam com o mesmo padrão que já existia nele mesmo. Caso contrário, ele poderia observar o comportamento negativo nos outros, sem se irritar, e trataria a situação de outra forma.

Note que, se você se irritou com algo e isso é um padrão em

sua vida, de alguma forma isso está em você! A irritação é um sinal fantástico!

Grave bem um aspecto muito importante da ressonância: você precisa entender que o padrão do outro não é necessariamente igual em você. Por exemplo, se a desonestidade do outro – o fato de ele roubar – o incomoda profundamente, a ponto de não saber como lidar com ela, isso não significa que você também roube, mas cabe a você descobrir onde está sendo desonesto ou o que está roubando de si mesmo. A ressonância dá-se de forma, às vezes, não lógica e igual! Se quer corrigir isso, só cabe a você descobrir. A emoção é a grande chave, o grande sinal.

Primeiro passo: descubra comportamentos e padrões repetitivos de relacionamentos problemáticos em sua vida.

Segundo passo: aceite o sentimento que tem e as pessoas com quem já teve tais sentimentos. Respire no sentimento.

Terceiro passo: descubra onde esse sentimento está corporificado em seu corpo. Pode estar nas costas, em algum ponto específico, nos braços, em algum órgão, nos ossos etc. Você conseguirá descobrir mais facilmente se permitir a si mesmo emitir sons, manifestar-se, gritar e, principalmente, respirar no sentimento e na dor que se apresentar.

Quarto passo: reconheça onde o comportamento do outro está em você. Investigue. Pode levar tempo, mas quem procura descobre.

Quinto passo: ao encontrar o seu comportamento, você poderá ter muitos sentimentos, como raiva, frustração, revolta, indignação, indiferença etc. Não subestime sua descoberta; aceite-a, mesmo que seja doloroso. Minha sugestão é respirar na dor e no sentimento, deixando qualquer tipo de som se manifestar naturalmente. Faça isso quantas vezes for necessário, até eliminá-lo(s) por completo do corpo. Você saberá quando o padrão for liberado. Simplesmente não sentirá mais vontade de se manifestar, os comportamentos de terceiros não o incomodarão mais, e tudo mudará porque você mudou.

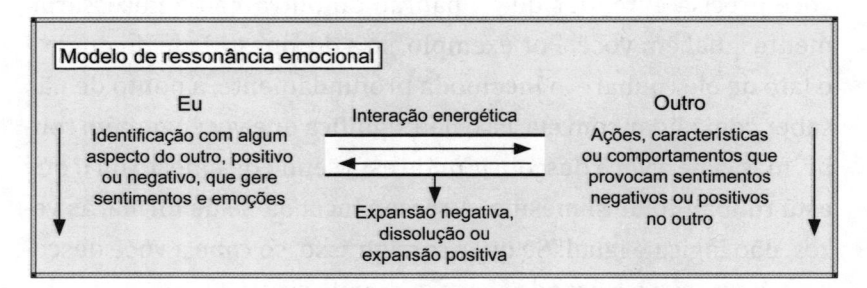

Modelo de ressonância emocional

Eu	Interação energética	Outro
Identificação com algum aspecto do outro, positivo ou negativo, que gere sentimentos e emoções	⇌ Expansão negativa, dissolução ou expansão positiva	Ações, características ou comportamentos que provocam sentimentos negativos ou positivos no outro

Toda relação tem uma ressonância emocional, se existe um atrator.

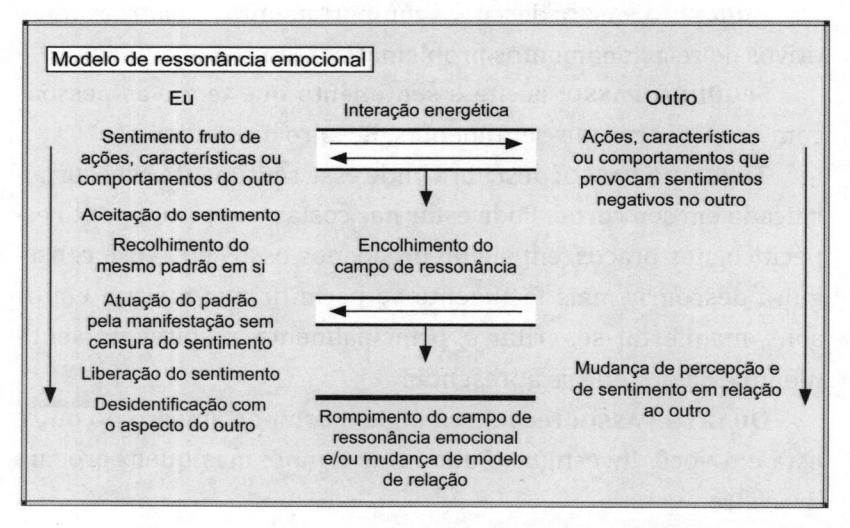

Modelo de ressonância emocional

Eu	Interação energética	Outro
Sentimento fruto de ações, características ou comportamentos do outro	←	Ações, características ou comportamentos que provocam sentimentos negativos no outro
Aceitação do sentimento		
Recolhimento do mesmo padrão em si	Encolhimento do campo de ressonância	
Atuação do padrão pela manifestação sem censura do sentimento	←	
Liberação do sentimento		Mudança de percepção e de sentimento em relação ao outro
Desidentificação com o aspecto do outro	Rompimento do campo de ressonância emocional e/ou mudança de modelo de relação	

Aqui temos um fluxo do rompimento ou da superação de uma relação com bases negativas.

O QUE SIGNIFICA RESPIRAR NA DOR?

Quando sentir uma dor, procure focar sua atenção nela e deixar que as lembranças venham à tona. Permita-se reviver o que surgir e do jeito que for. Inspire e expire, levando sua atenção para a dor e para as lembranças relacionadas a ela. Deixe os sons fluírem. Mantenha sua mente nos fatos e continue respirando, permitindo quaisquer manifestações. Mantenha-se assim enquanto sentir algo. Quando a dor tiver ido embora, ou tiver sido liberada, você não sentirá mais vontade de se manifestar. Respirar na dor é um processo de "viajar" nela e permitir que ela se vá.

Por essa razão, devemos ser gratos a todas as pessoas que nos incomodam, nos irritam, nos trazem problemas relativos a um mesmo padrão repetidamente. Essas pessoas, atraídas por nós, vieram para nos mostrar um pouco mais sobre nós mesmos e como podemos nos autoaperfeiçoar.

Isso pode mudar tudo no campo das relações humanas. É possível que muita gente deixe de se colocar como vítima e assuma responsabilidades sobre seus comportamentos.

Aprenda, a partir de hoje, com cada pessoa que você atrai para sua vida. Quem não tiver relevância certamente irá se afastar, e a vida vai lhe colocar o que ressoa. Se você ressoa positivamente, prepare-se para receber pessoas em sua vida que muito vão somar à sua missão. Se você ressoa em alguma polaridade negativa, prepare-se para receber pessoas em sua vida que muito vão lhe ensinar sobre você mesmo. Portanto, aprenda sempre com as pessoas!

Muitas acham que é bastante complicado "lidar com gente" e afirmam que é só uma questão de tempo até que fulano ou beltrano comece a fazer besteira ou criar problemas.

Se temos pessoas trabalhando conosco que não são "boas" o suficiente, que não têm perspectivas, quem as contratou? Quem as contratou é mais "incompetente" do que elas, pois as colocou no lugar e na função errada, de forma equivocada!

Todo ser humano tem um potencial vastíssimo e suas possibilidades são ilimitadas. No entanto, é preciso conhecer o que é evidente em seu potencial e o que ainda não foi revelado, para colocá-lo na função mais compatível. Isso é uma arte. É preciso enxergar e depois adequar.

Para enxergar a preciosidade de um ser humano, é preciso deixar de olhar para as pessoas através de rótulos, conceitos e egos. Temos uma imaginação fértil e ela é, às vezes, projetada nos traços, perfis e imagem que fazemos dos outros. Quem nos garante que estamos vendo corretamente?

Um empresário amigo confidenciou-me que já perdeu muitos profissionais nos quais ele não via potencial, mas que, quando foram trabalhar em outro lugar, na mesma função, revelaram-se brilhantes.

Muitos são os fatores para que isso ocorra. Com certeza, meu amigo não conseguiu ver o poder das pessoas que ele perdeu. O fator principal era que ele enxergava as pessoas não como elas eram, mas como ele as queria ver. Esse é o maior problema a ser superado para podermos enxergar a preciosidade das pessoas.

Se conseguirmos, ao longo da vida, superar isso, precisaremos saber como cativar e encaixar essa preciosidade em uma atividade ou função. Certa vez, perguntei a um amigo em Goiás qual o segredo de seu sucesso em realocar pessoas. Sua resposta foi direta:

– Eu ajudo as pessoas a descobrirem um sentido naquilo que fazem.

Quando o indivíduo encontra um sentido no que faz, tudo se torna mais claro. Lembre-se de algum momento de sua vida quando sentia angústia, ansiedade ou frustração com o que fazia e como de repente aquilo passou a fazer sentido e você começou a se envolver mais!

A todo momento, estamos buscando um sentido para as coisas, até para as mais simples! Se isso é da natureza humana, além de oferecer emprego, trabalho ou atividades, precisamos, honestamente, conferir sentido ao que as pessoas estão fazendo. Quando descobre sentido em algo, o ser humano se entrega com prazer, vontade e compromisso. Aí, suas virtudes internas, aliadas à vontade, levam-no à beleza de suas realizações.

Podemos descobrir, em um indivíduo aparentemente comum, uma joia muito valiosa. Basta começar desde já a olhar as pessoas à nossa volta de forma mais profunda para transformar cada uma delas em joia, em uma joia humana.

Fica, então, mais uma dica para o leitor: faça um pacto com você mesmo: aprenda sobre si por meio das pessoas.

PACTO 8

APRENDA COM O OUTRO – AQUILO QUE O INCOMODA MUITO NO OUTRO TAMBÉM ESTÁ EM VOCÊ

CHAVES PARA AS RELAÇÕES E OS CONFLITOS

Passo 36: Pare de atribuir culpados e falar mal das pessoas.

Passo 37: Lembre-se de que cada um é seu sistema próprio de defesa.

Passo 38: Recorde que a irritação é um sinal fantástico.

Passo 39: Reconheça onde o comportamento do outro está em você. Investigue.

Passo 40: Lembre-se de respirar na sua dor para liberar algo de seu corpo. Tudo tende a mudar depois disso.

PARTE VI

Estado de alinhamento

OS PACTOS 9 A 12 DO ESTADO DE ALINHAMENTO

EU e o UNIVERSO

Estado de alinhamento

9. Pensamento, sentimento e emoção, alinhados com a consciência, criam realidades
10. Veja além: tudo tem mais do que dois aspectos
11. Viva para um propósito maior do que o seu
12. Entenda tudo como um campo de energia e frequência; assim agirá na origem

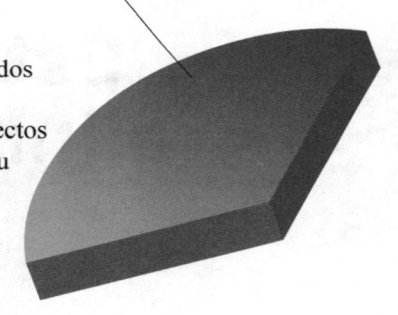

PACTO 9

PENSAMENTO, SENTIMENTO E EMOÇÃO, ALINHADOS COM A CONSCIÊNCIA, CRIAM REALIDADES

Nós mantemos a noção de que tudo o que é poderoso e libertador tem de ser complexo.

Harry Palmer

EMOÇÃO NÃO É SENTIMENTO

É comum as pessoas misturarem emoção e sentimento. No entanto, há uma distinção entre o corpo ter uma emoção e um sentimento. Por exemplo: quando perdemos alguém, sentimos tristeza, e isso é sentimento. É real. Agora, vamos imaginar que alguém me ache chato, e assim, naturalmente, crie coisas em sua mente e tenha um sentimento de raiva ou incômodo a meu respeito. Então, quando projetamos algo, é emoção. Existem emoções positivas e negativas.

As emoções suprimem os sentimentos. Nós, seres humanos, não fomos construídos para sentir, mas para ter emoções. Aprendemos isso na nossa infância. Quando interpretamos, sentimos, isso é emoção, e não é necessariamente verdadeiro com sua essência. Tudo aquilo que é projetado e transformado em emoção é um artifício da mente que constrói e aciona mecanismos de defesa.

O mecanismo que foi criado dentro de nós é muito simples e vigoroso. Por exemplo: quando éramos bebês e sentíamos fome, chorávamos. O choro, nesse caso, é uma forma de sentimento e é legítimo. No entanto, aprendemos que, se chorássemos, a mamãe vinha e dava o leite. Então, descobrimos que toda vez que chorávamos tínhamos a atenção da mamãe. Assim, desde bebês, aprendemos a usar as emoções para ter o que queremos. Adultos fazem isso todo o tempo com chantagens emocionais para terem o que querem. E nos tornamos *experts* em usar emoções em nossa vida. No entanto, temos dificuldade para sentir. Esse é grande desafio que precisamos superar. O alinhamento não vem sem o uso claro do sentimento.

A CONEXÃO COM O CORAÇÃO

Nas últimas declarações sobre educação, a Unesco – Organização das Nações Unidas para a Educação, a Ciência e a Cultura – focou a educação em quatro pilares: educar para conhecer, educar para fazer, educar para conviver e educar para ser.

Educar é fundamental. Sem informação, não evoluímos. Luz é informação. Se queremos evoluir, precisamos dar e buscar informação. Mas o grande equívoco é acreditar que esse processo passa apenas pela mente. O plano mental é um aspecto; fundamentalmente o processo passa pelo coração.

Fomos educados de acordo com um modelo, segundo o qual sentir e exprimir sentimentos é sinal de fraqueza. O modelo de mundo mental e racional distanciou-nos de nossos corações. É comum as pessoas banalizarem assuntos relativos ao plano sentimental. Esse é um sinal evidente de nossa completa fragmentação. Um efeito imediato da ilusão da separatividade.

O problema é que, ao nos distanciarmos de nossos corações, fortalecemos a mente do ego.

A MENTE DO CORAÇÃO

Seres fluidos são seres do coração. Eles ativam a mente que existe nesse ponto essencial do ser humano. A mente que não mente. A mente que traduz o caminho, a realidade e o *campo*. A mente que tudo conecta, que aumenta a capacidade de amar e ser amado.

Seres fluidos estão em conexão com o coração, que está em conexão com a Terra e com o Universo. Esse alinhamento é o que cria a sincronicidade em nossas vidas, que transforma a realidade diária em algo pleno e mágico.

Ser conectado ao coração não significa necessariamente ser agradável, gentil, bacana, legal. Ser conectado ao coração significa cada indivíduo estar ligado a si e ao que sente, pois seus sentimentos representam a maior fonte disponível de revelações sobre si mesmo.

Nossa realidade é criada, em grande medida, por nossos processos mentais. Ela vem da percepção que temos sobre certas coisas. Essa percepção sempre se baseia em uma experiência anterior ou em sistemas de crenças, sejam elas conscientes, inconscientes ou da memória celular. Assim, criamos nossa realidade pela atitude que assumimos diante de algo em decorrência de um padrão anterior. As atitudes produzem pensamentos, entendimentos e, a partir deles, começamos a manifestar nossas intenções e nossos desejos na vida. Estes, quando fortemente visualizados em nossa mente e em nosso coração, passam a reger nossas manifestações externas, como ações, atitudes e palavras.

E estas, por fim, constroem um novo mundo, uma nova realidade, produzem novas mudanças etc.

Somos seres criadores. Temos o poder de criar o que quisermos e de alterar realidades por completo. E tudo isso está em nossas mãos, ou seja, em nossas mentes. Somos o que pensamos e nossa vida é um espelho que reflete para nós tudo aquilo que pensamos. O Universo é mental.

O PODER DA MENTE

O pensamento vem primeiro. A experiência é sempre decorrência. Nunca ocorre o contrário, ou seja, vocês não vivem uma experiência e depois pensam nela. A experiência é sempre um reflexo direto daquilo que estão pensando.

Marciniak

Tudo que existe no mundo existiu anteriormente na mente de alguém. Tudo é criado, no mínimo, duas vezes. Uma, certamente, por sua mente e outra, por suas ações. No entanto, suas atitudes são fruto de seus pensamentos diários. Sendo assim, tudo começa pela mente. Ao intencionarmos uma viagem, ela precisa ser idealizada e colocada no papel. Ao visualizá-la, simplesmente já a estamos criando pela primeira vez. Ela já começou a existir no plano do Universo, acredite. Ela poderá ou não se materializar, mas primeiro é criada na mente. Somos criadores mesmo sendo criaturas!

QUEM INFLUENCIA A MENTE?

A mente é um radar que capta tudo em volta, absolutamente tudo. Todas as coisas ao redor – cenários, ideias, sentimentos, situações, imagens – transformam-se em um agrupamento influenciador de pensamentos.

A mente pode ser influenciada pelo coração, por outras mentes, por vários fatores, mas, depois de influenciada, ela constrói. Seja algo "bom", seja "ruim". Por isso, a mente precisa estar sempre alinhada. Mas a pergunta é a seguinte: alinhada com quê? Com nosso corpo e com nossa consciência.

As pessoas pensam que as memórias estão na mente. Não estão! Elas estão no corpo. O corpo é um armazém poderoso de informações, contrações e liberações em sua vida. Nós somos um sistema com nervos, vasos, células etc., e a chave é perceber o que o nosso corpo diz. Ele sente e é completamente preciso.

Uma boa forma para estarmos em contato com o que nosso corpo diz é permanecermos centrados e no momento presente. Isso é essencial para que não sejamos influenciados negativamente. Essa ação leva à inteireza e ao alinhamento. Quando estamos alinhados, nossa mente também se alinha. A integração e o alinhamento da mente e do coração são a chave para uma fluência natural.

Existem dois aspectos que afetam fortemente o que se passa em nossa mente, conforme pode ser observado a seguir.

1. EXPERIÊNCIAS TRAZIDAS PARA A SUA REALIDADE

Imagine o leitor que está assistindo a uma palestra à noite, em uma cidade grande, e que tenha deixado seu carro estacionado em uma região não muito segura. Quem garante que seu carro estará lá ao final da palestra? Essa é uma possibilidade real. Querendo ou não, pode haver uma preocupação. Por menor que ela seja, se vem à mente de forma explícita ou não, ocorre um gasto de energia que, por sua vez, gera um dispêndio mental.

Situações diárias como essa geram gastos de energia mental. Podemos citar muitas outras, como um amigo ou parente doente, um objetivo ainda não alcançado, uma cobrança, uma dívida, um problema não resolvido; situações com que convivemos no dia a dia simplesmente pelo fato de vivermos em um mundo interativo e cheio de surpresas.

O problema não são as coisas que nos acontecem, mas a maneira como lidamos com elas e como reagimos ao que nos acontece. Eis a pequena grande diferença. As pessoas reagem de forma distinta exatamente às mesmas situações.

Tenho um conhecido que é comerciante e, como todo comerciante que vive no Brasil, passa pelos sobressaltos e as instabilidades naturais de um mercado em completa reformulação. Toda vez que o encontro, ele sempre usa a palavra "problema". É hilário, mas é uma pessoa que somente fala de problemas e dificuldades. O interessante em seu comportamento é que seus desafios não são diferentes dos de seus colegas; no entanto, ele sempre reage dessa forma. Ou seja, essa não é a realidade dele, mas como ele interpreta o que acontece com ele. É evidente que isso gera um enorme dispêndio de energia mental.

Isso é o que está ocorrendo com muitas pessoas: um gasto enorme de energia mental, fruto de situações cotidianas, externas e que não dependem de nossa ação direta, mas da nossa reação.

2. ALINHAMENTO COM A CONSCIÊNCIA

Quem é você? Você é seu corpo? Não! Porque você o percebe. Você é seus sentimentos? Não! Simplesmente porque seus sentimentos mudam e você continua aqui.

Você, na verdade, é aquele que tudo vê nas experiências que tem. Você é consciência. Aquele que vê o que vem e o que vai, pois tudo está em movimento, mas a consciência não se move. Ela é o que é. Ela não tem hora, nem tempo, nem espaço.

Quando nos alinhamos com ela, estamos em completa harmonia em nossa vida e em direção às experiências que realmente precisamos ter. Para nos alinharmos com a consciência, é necessário o uso do espaço/tempo.

Existem três pontos na nossa existência neste plano: o passado, o momento e o futuro.

⟨── PASSADO   MOMENTO   FUTURO ──⟩

O passado representa o segundo que passou. Muitos acreditam que o passado é algo distante, mas não é. O passado é o segundo, o instante que passou. O futuro representa o segundo que ainda não ocorreu. Ele é o segundo e tudo o mais de que ainda não temos consciência que viveremos ou que intencionamos.

O momento é o instante exato em que o passado ainda não existe, nem o futuro. É algo tão rápido e profundo que nos passa despercebido facilmente. Passado, presente e futuro são uma coisa só. Mas só percebemos isso quando estamos na nossa consciência.

Onde reside o aspecto de gasto mental na linha do tempo?

Meus amigos, o grande desafio é lidar com a linha do tempo.

Muitos de nós vivem repensando coisas passadas – como algo que alguém disse e que ficou martelando em sua cabeça mais do que deveria – ou, mesmo, sofrendo por algum episódio que passou e que foi diferente do esperado. Com relação ao futuro, o mesmo ocorre em proporções e aspectos distintos. Por exemplo, a desconexão mental momentânea se dá por outros propósitos, como ansiedade, o sofrimento por algo que ainda não ocorreu ou a vivência de sonhos em vez de sua construção, dentre outros.

Quero destacar que não estou me referindo a isolar passado e futuro, até porque eles estão presentes em um contexto maior e fazem parte de uma realidade única, mas me refiro a nos relacionarmos com eles sem o gasto desnecessário de energia, como é tão comum nos dias de hoje.

Se algo no passado não lhe fez bem, volte a ele para se libertar, para ressignificá-lo, mas cuidado para não ficar preso a um tempo pretérito, pois isso vai tirá-lo do seu momento e criar um passado de ressentimentos. O mesmo é válido para o tempo que há de vir. Não deixe que o futuro roube sua energia de forma desnecessária; que se aproprie de seu tempo e sua energia mental de forma a desconectá-lo de seu momento, pois ele é a base de seu futuro.

Manter-se no momento é perceber e viver o que faz, é ter seus pensamentos conectados apenas ao que faz. Isso não é tarefa fácil diante do turbilhão de ideias que o cercam. Quanto mais conectada ao momento, mais sua consciência se expande, mais sua força de ação se manifesta, e você prova seu real potencial.

Meditações, centramentos, respiração e elevação energética, dentre outras práticas, ajudam a manter a mente centrada e aterrada no instante presente. Ter uma mente que vive o momento é fruto de exercício. Treine sua mente para que ela responda a tudo isso que está sendo falado.

FOCO: A FORÇA DA MENTE

Faça sempre a pergunta: "O que eu quero?". Essa é a chave para uma mente poderosa. Determine com clareza o que quer, e tudo será trazido em um ritmo acelerado até você. Se sua mente estiver sempre pensando em dez ou quinze problemas diferentes, ela poderá levar semanas para resolvê-los. Se você se vir pensando em muitas coisas ao mesmo tempo, sentindo-se pressionado, dispersivo e ocupado, ou se descobrir que não tem tempo suficiente para fazer tudo o que precisa ser feito, isso é um sinal de que sua mente está tentando lidar com um volume excessivo de problemas. Se você foca a mente em um ponto, ela se torna uma preciosa ferramenta de resolução.

MENTE LIMPA

O que se passa em sua mente afeta fortemente seus níveis de energia e entusiasmo – mais do que você possa imaginar. Sua fala está muito conectada com sua mente e vice-versa. O negativo atrai negativo, e o positivo atrai positivo.

Quando sua energia estiver baixa, você deve identificar os dois fatores básicos, explicitados abaixo, e eliminá-los.

1. RECLAMAÇÃO

Pessoas que gostam sempre de reclamar acabam criando uma mente voltada para o negativo. A própria reclamação é, em si mesma, uma resposta de uma mente negativa. Reclamar aumenta a força de um plano mental negativo, que passa a criar mais coisas negativas para alimentar a reclamação. Quanto mais reclamar, mais atrairá coisas negativas – até mesmo para continuar nesse padrão. Portanto, pare de reclamar; assim você desarma uma bomba de carga negativa.

2. CONEXÃO COM INFORMAÇÕES QUE TRAZEM SENSAÇÕES RUINS

Recebemos diariamente um bombardeio de informações pela mídia. No mundo de hoje, a sobrevivência desses veículos depende, muitas vezes, da sexualidade e do sensacionalismo. Falar de problemas, dramas, violência, sexo e fofocas ainda alimenta uma sociedade alienada e normótica. Essas informações geram sentimentos. Tudo que lemos e as coisas a que assistimos geram algum tipo de sentimento que ativa a mente. Esta, por sua vez, passa a produzir pensamentos, conclusões, padrões de resposta para tudo isso. Não estou dizendo que o leitor deva parar de ler tudo que seja ruim – mesmo porque não sei se você depende, de alguma forma, de algum tipo de informação, mas afirmo que sua mente absorverá tudo e criará padrões a partir de seus sentimentos. Não há como evitar isso. Portanto, fique atento ao que está recebendo e lendo ou a tudo a que está assistindo, e pergunte-se: "Eu realmente preciso dessa informação?". Se não precisar, descarte-a e não a leia. Saiba eliminar os programas de TV e da internet que roubam energias ou despertam sentimentos ruins. Mude o canal. Desligue a TV. Pelo amor que tem à sua mente, tire a TV dela. Dê-lhe um descanso. Estar com a TV, o computador ou o celular ligados todo o tempo pode se transformar em um padrão normótico condicionado que, de maneira inevitável, influenciará uma mente responsivamente normótica. Televisão não é a vida. A vida precisa ser vivida. Não admita que coisas que não lhe agreguem algo positivo entrem em sua mente. Cuide da sua mente como cuida de seu bem mais precioso. Filtre tudo!

A FORÇA DA INTENÇÃO CONSCIENTE

Quando temos um objetivo claro, descobrimos valor no que fazemos e estamos centrados, torna-se inevitável um acréscimo de energia e entusiasmo em nossa vida.

Há uma diferença entre atenção e intenção. Quando olho para uma folha e vejo somente a própria folha, estou colocando minha atenção nela. Quando olho para a mesma folha e desejo que ela se despregue e caia da árvore, estou intencionando algo. A atenção é algo fixo e a intenção gera movimento.

Quando alguém intenciona construir uma casa, esse imóvel existe em muitos planos. Primeiro, na sua intenção. Depois, sua intenção normalmente é acompanhada de uma visão ou visualização básica, e acaba em um desenho ou projeto. A seguir, é concretizada. Note como sua casa foi construída quatro vezes! Nos níveis da intenção e da visualização mental, o imóvel foi edificado no plano do Universo. Ela pode ser concretizada materialmente ou não, mas, em um primeiro momento, ela já foi criada. Ela existe! Assim como a casa, tudo o que se passa em sua mente existe no

Universo e pode se materializar ou não! Tudo ocorre primeiro em sua mente! Tudo vem da intenção!

Henry Ford dizia: "Se você pode enxergar, pode realizar". Não podemos pensar em coisas que não podem existir nesta realidade. Se podemos pensar, podemos realizar.

Qual é a razão de muitas empresas escreverem suas visões? Exatamente para ajudar todos a entenderem que realidade elas querem criar!

A MENTE ALINHADA

A mente funciona sem parar. É como um computador sem programador. Passam pelo nosso cérebro cerca de 50 mil pensamentos diários. Para que tenhamos um bom programador, o exercício da meditação ou relaxamento auxilia um alinhamento primário necessário. Muitas pessoas escutam sobre meditação e têm dificuldade de exercitá-la por não apresentarem a disciplina necessária, fruto de um entendimento parcial sobre o processo. O que então significa meditação? Meditação é:

- dirigir a mente;
- parar o diálogo interno;
- prosseguir num árduo, disciplinado e diário caminho;
- treinar a mente para se manter presente;
- viver plenamente o momento.

A meditação traz o indivíduo para dentro de si mesmo e isso o conecta com o que existe de mais precioso neste Universo: o coração e a consciência que tudo é. Assim, estará conectado com coisas que sejam efetivamente relevantes, e não devaneios do ego, pois é muito fácil viajar na mente e querer coisas que não têm sentido para si próprio ou que não traduzem realmente sua missão ou essência. Isso nada mais é que uma desconexão. E a desconexão não ajuda a traduzir claramente as intenções em realidades. Por isso, muitas pessoas não são felizes com o que têm ou construíram em suas vidas.

Ter propósitos altruístas ajuda a desenvolver intenções conscientes. Ao dominar esse processo, você traz para fora o ser precioso que existe em você. É o seu aspecto líder. A liderança começa pela mente. Lidere a si mesmo, seus propósitos, comportamentos e mudanças, e poderá liderar em outros níveis. Viveremos, em breve, um mundo onde todos serão líderes. Esse será o novo mundo. Um mundo alinhado.

Você não precisa mais ficar parado, meditando. Estamos em uma nova energia e, pela meditação, você pode realizar tudo em sua vida. Basta querer. A meditação pode ser feita andando, dirigindo e em outros e novos níveis. Alinhe-se.

A MENTE MAIOR

As pessoas estão, nos dias de hoje, buscando um modelo mental ou uma forma de ser. Não existe um arquétipo a ser apreendido. Nada pode ser ensinado a ninguém. Tudo o que podemos fazer é ajudar as pessoas a descobrirem o que elas já sabiam e esqueceram! Ajudá-las a dar seu próximo passo em direção a elas mesmas.

Seu modelo de ser está em você, caro leitor. Sua essência já está em você. Você precisa limpar sua mente para que pensamentos mais puros e alinhados se manifestem. Esses pensamentos alinhados com o coração se traduzem em maior libertação dos medos e no encontro com uma mente maior. Uma mente que está acima dos jogos da humanidade. E o que é essa mente maior? Sua consciência!

OUTRAS FORMAS DE CRIAR PELA MENTE

Segundo Hand Clow:

> [...] outra forma de estabelecer um processo criativo pela mente se dá pela procura de realidades a partir do futuro. Nesse contexto, o futuro se refere a qualquer memória passada que ainda seja suficientemente forte para impulsionar seu comportamento agora. Muitas vezes pensamos em nós mesmos como seres localizados em um determinado ponto. Uma vez nesse ponto, então existe algo que podemos chamar de "antes" e algo que podemos denominar de "depois". Podemos criar conscientemente a maior parte de nossa realidade a partir do futuro, apenas observando o que é entediante agora e decidir não repeti-lo.

Veja: é sua decisão não repetir determinadas coisas. Isso é o poder da criação e sua escolha. Faça um pacto com você neste momento. Passe a observar tudo o que se passa em sua mente. Lembre-se: o que você pensa acontece. Procure, durante os próximos dias, observar o que você fala, que tipos de pensamento tem. Procure analisar sua vida e tudo o que conquistou. Pergunte-se:

- como criei a realidade em que vivo agora?
- quais foram os pensamentos que criaram os problemas que tenho agora?

Comece a traduzir seu coração em suas intenções. Leve suas intenções para sua mente. Comece a criar o seu mundo a partir daí. Afinal, "todo dia é um dia novo para quem sabe viver", já dizia Dale Carnegie.

O PENSAMENTO SUPERIOR ATIVADO

Você já foi agredido por alguém, seja por meio de palavras, seja de ações? Isso pode acontecer com qualquer um, a qualquer momento. O problema está em usarmos a força como instrumento de resposta ou defesa.

Há muitos anos, a força era um instrumento poderoso de dominação em todos os níveis da sociedade. A cada dia que passa, estamos entrando em um mundo onde o sutil será o princípio mais forte. Estamos em um processo de sutilização do mundo e da humanidade. Resolveremos os problemas com poucas palavras, poucas ações.

A sutilização está na mente. Na condição de percebermos as pequenas coisas, os pequenos aspectos motivadores, os padrões dos outros, as circunstâncias criadas, as armadilhas da vida e os aprendizados que atraímos. Quando temos a capacidade de interpretar as coisas a partir de uma óptica maior, ativamos uma mente maior, um pensamento maior. Um pensamento que não julga, mas entende; que não toma partido, mas vê as partes. Ver por cima ajuda a não entrar no drama. Não entrar no drama ativa nosso estado maior de consciência.

UMA MENTE SUPERIOR COMO CHAVE PARA A LIDERANÇA

Olhar para si mesmo a partir de uma óptica superior é reconhecer-se, é aceitar-se. Esse processo o conduz ao líder que existe em você.

Ter uma mente superior não significa sentir-se superior em relação a alguém ou a algo, mas saber ver além, entender o poder de construir, de realizar, ter a capacidade de despertar o seu poder em ação, separar e compreender.

Liderança é uma das palavras da ordem do dia. O exercício da mente superior é, de fato, liderar você mesmo: a autoliderança.

Aí está a questão. Alguns pensam que é preciso ter ou ser uma pessoa extraordinária para ter liderança. Existe o mito de que líderes são natos. Isso não condiz necessariamente com a realidade. Todas as pessoas têm características que podem ser convertidas em liderança ou não. Depende da pessoa, da situação e do grau de evolução de cada um.

É fácil ver meninos jogando bola e identificar líderes; meninas jogando vôlei e observar o mesmo. Porém, muitas daquelas crianças que eram apagadas em sua infância ao longo dos anos assumiram posições de liderança, e talvez um *expert* não desse nenhum valor a elas antes. Por que essas pessoas se tornaram líderes? Elas despertaram, por elas mesmas ou não, características que foram canalizadas em potencial de liderança. Assim, podemos quebrar o primeiro mito: a liderança pode ser desenvolvida.

Outro dia, uma pessoa me disse:

– Não posso participar de um programa de liderança com você porque não tenho posição de liderança.

Ora, liderança implica então ter subordinados? Quer dizer que não podemos influenciar pessoas em outros níveis? Liderar a nós mesmos e nossas vidas?

Em uma empresa de informática, existia uma equipe de 22 pessoas sob o comando de um gerente. Ao estreitar o contato com a equipe, pude perceber que existia um técnico, antigo na empresa, que exercia uma enorme influência sobre o comportamento do grupo. Toda vez que o gerente tinha um projeto em mente, ele consultava esse homem, que analisava, comentava e o ajudava na implementação de tudo. Ele era muito amável e tinha uma enorme facilidade de comunicar o que pensava para o time. Ora, quem era ele para a equipe? Um líder. Todos o admiravam e confiavam nele. Ele não tinha o poder do gerente, mas o respeito do gerente e a admiração da equipe. Eu lhe perguntei se ele nunca pensara em ser gerente e ele me disse:

– Isso não é o mais importante para mim, pois sou meio desorganizado e nosso gerente nos dá uma boa direção.

Percebi imediatamente que ele era um líder forte e que não precisava estar em posição de chefia para influenciar a equipe.

Esse é um dos maiores males da humanidade: querer o poder para mandar. Isso não representa uma mente superior no sentido que colocamos aqui. O mundo mudou. A liderança não está em posições, cargos etc. A liderança está na capacidade individual de realizar, na capacidade natural de envolver pessoas e ajudá-las a fazer o que devem e podem fazer. O líder pode influenciar seu chefe, seu colega, seu subordinado, parentes etc. Líder é líder, não importa que cargo ocupe.

Líderes não precisam liderar tudo a todo momento. Um corredor de maratona não precisa estar correndo em um shopping center ao fazer suas compras. Ele pode caminhar sem deixar de ser um corredor. Muitas vezes esperamos que os líderes liderem tudo, mas eles precisam exercer sua liderança apenas quando for necessário. Caso contrário, devem deixar que outros também liderem, pois acabam aprendendo um pouco mais.

Descubra o líder que existe em você, e esse será o primeiro caminho para uma transformação pessoal sem volta. Ver o líder em você é a maneira como pensa sobre si mesmo. Se trabalharmos com pensamentos de alta qualidade, teremos uma vida de alta qualidade. Ver-se como o líder de si mesmo é um pensamento altamente qualificado para colocá-lo na sua grandeza pessoal. Reconhecer sua grandeza pessoal é o caminho mais poderoso para ativar seu mestre interno. O mestre interno é a sua sabedoria maior e inexplicável que vem e dá rumo facilmente às coisas, encontrando a ação certa, a palavra certa e o pensamento certo. Faça um pacto com você mesmo: pensamento, sentimento e emoção, alinhados com a consciência, criam realidades.

PACTO 9

PENSAMENTO, SENTIMENTO E EMOÇÃO, ALINHADOS COM A CONSCIÊNCIA, CRIAM REALIDADES

CHAVES PARA ATIVAR SUA MAESTRIA CRIADORA

Passo 41: Ative a mente que existe no coração.

Passo 42: Pare o diálogo interno pela atenção intencional.

Passo 43: Dirija a mente conectada com uma intenção.

Passo 44: Permita-se beber o futuro no presente como lampejo.

Passo 45: Reconheça seu mestre interno, pois essa é a forma de ele se manifestar.

PACTO 10

VEJA ALÉM – TUDO TEM MAIS DO QUE DOIS ASPECTOS

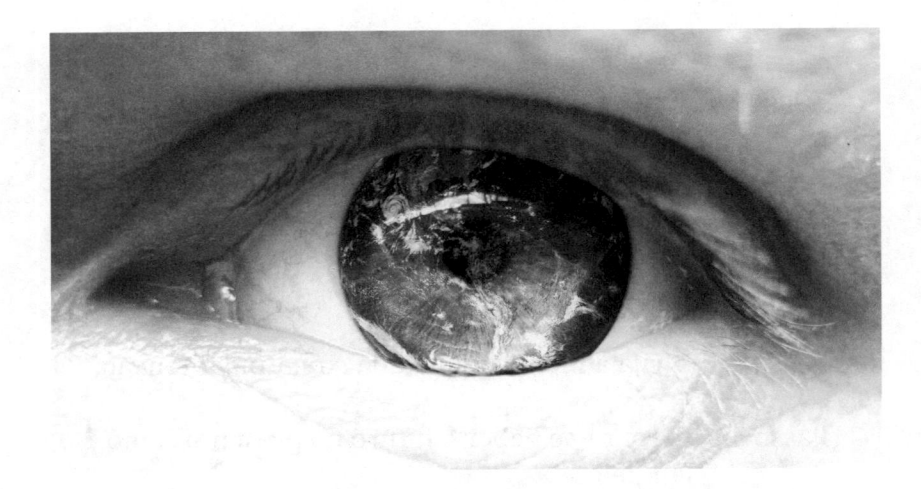

Quando o mal é compreendido como sendo intrinsecamente um fluxo de energia divina momentaneamente distorcido, devido a ideias errôneas, conceitos e imperfeições específicos, então ele não é mais rejeitado na sua essência.

Carl G. Jung

O FATOR POLARIDADE

Você julga, eu julgo, todos nós estamos constantemente dizendo o que é certo e o que é errado. Será que existe o bom e o ruim? O certo e o errado? Na verdade, eles são aspectos de algo maior.

Acredito que tudo o que nos chega são coisas que nos trazem algum ensinamento a fim de nos inspirar a seguir nosso caminho em direção ao nosso desenvolvimento. Acredito que este mundo é uma escola e que estamos aqui para aprender, em todos os níveis e de todas as formas que imaginamos. Por isso, quem me garante que aquilo que me chega de ruim é realmente ruim? Acredito que o que mais importa é saber o que determinado fato quer me ensinar.

Afinal, o bem e o mal ensinam o tempo inteiro. Muitas vezes, o que é bom para um pode não ser necessariamente bom para o outro.

Ao voltar no tempo e recordar-se de determinada crise, você verá que houve um nascimento de um novo "eu", de uma nova parte de você mesmo que antes não fora acionada.

Não existe decisão "certa" ou "errada". Existe, na verdade, o que precisa ser experimentado, seja qual for a decisão escolhida. O resto sempre é interpretação da mente.

VIVEMOS NA POLARIDADE

Se pararmos para pensar, tudo no mundo é dual. Temos o frio e o calor, a noite e o dia. Se olharmos ao nosso redor, tudo parece estar dividido, pois este é o mundo das dualidades. Mas, se existem os dois lados, o que está "acima" ou "além"? Somente conseguiremos entender com uma visão ampliada quando olharmos para o outro lado e expandirmos a nossa compreensão. A chave para termos uma visão mais ampla passa pela compreensão do outro lado. Caso contrário, sempre teremos apenas partes, versões ou pontos de vista parciais de algo. Esse é um dos maiores equívocos que as pessoas podem cometer. Um reflexo condicionado da fragmentação humana. Muitas vezes, as pessoas não conseguem ver o outro lado porque têm medo. Medo de abrir mão de suas ideias, conceitos ou pontos de vista.

Quando vemos apenas dois lados, tendemos a escolher um deles. Ao optarmos, caímos imediatamente no conflito do mundo de polaridades. Na verdade, não há como evoluir se as pessoas não consideram o outro lado! Muitas delas pensam que visitaram o outro lado, mas, na verdade, não o fizeram. Elas foram para o outro lado com o coração e a mente envenenados, e assim é realmente impossível ampliar a visão. Como fazer isso? É fácil, amigo, veja só. Existe o bem e existe o mal. Você é uma pessoa do bem ou do mal? Acredito que, provavelmente, a grande maioria vai dizer: "Sou do bem".

O.k., até aqui isso não é o problema. Você se definiu por um dos lados, então não se considera totalidade! Muitas pessoas entendem que ser do bem e praticar o bem são ações que fazem parte de um modelo de aceitação do outro.

Ser, por exemplo, atencioso com alguém não significa considerar os sentimentos dessa pessoa mais importan-

tes do que os seus. Se você estudar a vida dos seres altamente evoluídos, perceberá que existem muitas maneiras de ser atencioso com os outros, incluindo agir com firmeza e não tolerar determinadas atitudes "pobres"; não obstante, os modos mais rudes são motivados pelo amor e pela compaixão.

Sanaya Roman

O problema é a maneira como enxergamos a outra parte, ou seja, o mal. Se existe uma outra fração, essa parte, junto com sua contraparte, compõe exatamente o quê? Algo maior. Se uma parte, junto com a outra, cria algo maior, então o que é bem e o que é mal? Tudo é muito relativo, como podemos perceber.

A XÍCARA PELA METADE – A METÁFORA DA VIDA

Imagine o leitor uma xícara de café pela metade. Existem os que olham e veem uma xícara meio cheia, e os que olham e veem uma xícara meio vazia. Ambas as visões são possíveis. Mas a pessoa que vê a xícara meio cheia fica satisfeita por ter algo para beber e sente-se agradecida, enquanto aquela que a vê meio vazia fica decepcionada. Todos os acontecimentos da vida são como essa xícara pela metade, ou seja, emocionalmente neutros – somos nós que temos uma reação emocional a eles. Não é o que nos acontece que importa, mas como reagimos ao que acontece.

Muitos afirmam que alguns sentimentos, como raiva, inveja e medo, são negativos. Meus queridos, não existe sentimento negativo. Sentimento é sentimento. É o que cada um faz com ele que determina uma polaridade, que é interpretada de acordo com cada pessoa. Tudo é interpretável. Por exemplo, a raiva pode motivar-me a mudar algo ou pode levar-me a matar alguém. A inveja pode levar-me a querer tomar algo do outro ou a buscar uma nova forma de alcançar meus objetivos. O medo pode paralisar-me ou levar-me a ser mais cauteloso e estratégico. Apenas afirmo que tudo neste mundo é formado por polaridades que estão ligadas a algo maior.

Existem muitos níveis de energia no universo. Os mais elevados permanecem além das polaridades, além do bem e do mal, além das comoções emocionais. São níveis de muito amor, luz e poder pessoal.

Quanto mais você reclama de seus problemas e se revolta porque as coisas não estão acontecendo conforme queria, mais você se torna polarizado – e ficará experimentando apenas um dos lados. Entender que precisa lidar com luz e sombra, dia e noite, é não lutar contra o mundo em que vive, mas compreendê-lo e alinhar-se com ele.

Não existe erro. Existe aprendizado. A própria insistência em um aspecto é apenas a falta de aprendizado. Como temos a tendência a nos fixar em um ponto e não ver o outro lado, quando vamos para o outro lado, levamos conosco sentimentos confusos e padrões de comportamento infantis.

Eis alguns exemplos de polaridade:

acima – abaixo
bom – mau
certo – errado
luz – sombra

A seguir, exemplos de faces da dualidade:

noite – dia
calor – frio
duro – mole
sólido – líquido
tangível – intangível

O grande desafio da humanidade, nos próximos tempos, é sair do modelo da polaridade certo/errado para o de causa/efeito.

Tudo que fazemos gera movimentos que nos proporcionam experiências, ensinamentos, sentimentos e emoções. Cabe a nós entender os seus efeitos em nossa vida para atuarmos nas causas. Assim, vivemos sem culpa e sem o julgamento do certo ou errado. Tudo é o que tem de ser.

Consideremos o nosso cérebro. Os dois lados têm funções importantes. O lado esquerdo dá a ilusão do tempo. Ele coloca tudo em pequenas caixas, organiza e rotula. O lado direito contém todas as informações transpessoais. Não reconhece a linearidade e traduz conjuntos por meio de sentimentos.

SUA SOMBRA E SUA LUZ

É comum as pessoas desejarem a iluminação, tanto em relação às suas ideias como a ações, projetos, relações com o mundo etc. A luz não anda neste mundo sem a sombra. Uma faz parte da outra.

Experimente correr de sua sombra! Vá! Tente! Você deve rir de mim, não é? Mas tenho uma pergunta: por que você corre de suas sombras psíquicas e emocionais? Você quer luz, mas, sem a sombra, não transcende!

A chave crítica para a sua evolução é encarar suas sombras. Você pode realizar isso sozinho, mas a presença de um terapeuta preparado pode fazer a diferença quando tiver de lidar com o que muitas vezes classifica de seu "pior".

Todo mundo tem os seus "demônios" internos: fraquezas, deficiências, defeitos etc. Se você quiser evoluir, precisa ir até eles e dizer: "O.k., aceito vocês. Vocês fazem parte do meu aprendizado. E está tudo bem. Não os culpo por isso".

Sua sombra é um aspecto de sua manifestação que o ajuda a se conhecer melhor. Portanto, pare de fugir dela! Integre-a à sua luz! Luz e sombra são apenas os dois lados de uma mesma polaridade. São como as duas pontas de um cordão; uma não existe sem a outra. Se você cortar o cordão, desintegra as duas.

Nossas sombras são tão importantes quanto nossa luz. Não é indo em direção à luz que supero a sombra; é acolhendo a sombra em meu coração que acendo toda a minha luz!

A MENTALIDADE DA CRIANÇA

Para ampliarmos a visão, precisamos entender o que se passa dentro de nós. Necessitamos falar sobre a mentalidade infantil que continua a existir nos equívocos inconscientes. A criança só conhece dois extremos: bom, mau; fraqueza, força; certo, errado. Esse é o modelo pelo qual fomos criando as nossas identificações. Nosso aprendizado deveu-se às polaridades. Essas reações se manifestam ainda na vida adulta, quando não temos consciência delas e passamos a nos relacionar com tudo e todos à nossa volta de forma polarizada e baseada em nossas pseudoverdades. Minha pergunta para o leitor é a seguinte: "Você tem certeza absoluta de que tudo que estou afirmando é certo?".

Meu amigo, eu não tenho certeza de absolutamente nada neste livro! Apenas provoco-o e convido-o a experimentar um novo pacto em sua vida, e depois deixar seu coração decidir. Não existe uma única maneira correta de evoluir ou de buscar um objetivo. Cabe a você escolher o que é melhor para si mesmo.

Assim como ocorre com você, acontece também com as pessoas. O ser humano tem a incrível habilidade de fazer julgamentos polarizados sobre os seus semelhantes e especular o que é melhor para eles. Quem sabe o que é melhor para o outro, realmente?

Podemos entender que existem desvios de conduta nas pessoas, mas a origem delas é algo maior. É comum vermos alguns indivíduos classificando outros como bons ou maus. Como podemos efetivamente saber se eles são bons ou maus? Essa é uma classificação pessoal, que não necessariamente condiz com uma visão maior da pessoa ou da situação! O ser nunca é mau ou bom. O ser é o ser.

ASPECTOS DA PERSONALIDADE MANIFESTAM-SE POR POLARIDADES

Você pode afirmar: "Esta pessoa é ruim porque ela deseja e faz coisas ruins para outras pessoas". Eu repito: onde há sombra, há luz. Ela não é *ruim*, ela pode *estar*, mas não *é*! E, mesmo estando, ainda assim essa é uma ruindade relativa.

Eis a pequena grande diferença. Você deve se relacionar com muitas pessoas das quais não gosta, com quem não escolheu estar, mas é obrigado por alguma razão. Pode ser que algumas delas, de seu convívio, não estejam alinhadas ou centradas, e, quando esse é o caso, virtudes se "desvirtuam". É mais justo falar em desvirtuamento porque o que está sendo abordado é um desvio na manifestação da essência de alguém ou de alguma coisa, e que ainda assim é um ponto de vista pessoal.

Se iniciarmos uma investigação sobre desvios e desvirtuamentos, logo chegaremos à fonte e, inevitavelmente, a uma visão maior. Mas, se é tão simples, por que as pessoas não adotam isso como uma prática diária? Porque não fomos educados para isso.

O fato de falarmos sobre algo além, acima ou maior não significa que tenhamos de ignorar a polaridade existente. Não é nada disso. A polaridade existe, é real e necessária para nossa evolução. E exatamente porque é necessária à evolução que devemos saber como utilizá-la para ir além.

Se podemos admitir desvios, eles significam deficiências. Todos nós temos deficiências, ou *defeitos*, mas lembrando que isso é apenas um desvio – mesmo que tal manifestação seja de magnitude nociva. O fato é que a maioria das pessoas se coloca na posição de atribuir o mal aos outros e esquece que todos trazemos o bem e o mal dentro de nós. O mal que existe no mundo nada mais é do que a soma do mal que existe em todos nós.

O problema é que o ser humano se nega a reconhecer o mal que existe nele mesmo. Mas lidar com esse mal é necessário, mais cedo ou mais tarde. Não há como fugir disso.

Na definição do *Dicionário da Língua Portuguesa*, de Aurélio B. de Holanda, mal é "aquilo que é nocivo, prejudicial, mau; aquilo que prejudica ou fere. Aquilo que se opõe ao bem, à virtude, à probidade, à honra".

Para uma árvore nascer, uma semente tem que morrer. Um lado não existe sem o outro. Mal e bem nada mais são do que lados de uma mesma moeda.

Quando éramos crianças, vivendo as polaridades, imaginávamos nossos pais como modelos perfeitos, mas, quando crescemos, descobrimos seus defeitos e suas imperfeições. É comum jovens se afastarem dos pais como forma de protesto pela decepção. O problema é que carregamos esse modelo de defesa – de nos afastar quando nos decepcionamos – para muitos relacionamentos ao longo de nossa vida. Temos uma incrível capacidade de rotular pessoas e afirmar que tal sujeito é isso ou aquilo. Basta vermos o prazer que muitos têm em criar apelidos para os outros.

Outro dia, em uma drogaria, ao ser recebido pela equipe em seu primeiro dia de trabalho, um vendedor foi alvo imediato de um dos colegas, que o olhou e disse em alto e bom som:

– Olha o Shrek aí, gente!

Pronto, foi o suficiente para o novato ficar chateado; e, quanto mais uma pessoa se chateia, mais reforçado fica o epíteto. Assim, o vendedor ficou batizado de Shrek – uma referência estereotipada a um modelo físico. O mesmo ocorre com características comportamentais. Por exemplo, fulano é frio, calculista, fraco, fechado, problemático, falso. Enquanto acreditarmos que alguém é isso ou aquilo, nossa visão será também minúscula sobre suas capacidades e possibilidades.

> *Quando olho um colaborador, olho para o que ele pode vir a ser e não foi explorado ainda.*
> **Jack Welch**

Welch, um executivo de empresas muito famoso, descobriu que, enquanto estivermos presos a uma única forma de ver, nossa visão será limitada. Essa tem sido a razão pela qual milhares de pessoas em posições de liderança em todo o mundo estão perdendo talentos humanos. O ser humano é muito grande para ser julgado e classificado por um comportamento.

Eu sempre digo: pode até ser que o fulano seja isso que alguém está dizendo, mas afirmo que ele é isso também, além de muito mais.

O que seria do vermelho se todos gostassem do azul? A dualidade do mundo existe para nos ensinar. E a primeira lição é exercitarmos a capacidade de ver honestamente os dois lados. Somente vendo os dois lados é que teremos a condição de aprender a segunda lição: ver o que está além. O que está além dá o significado, e assim a compreensão se manifesta no ser.

DA DUALIDADE À TRIALIDADE

Somos oriundos de uma base experimental dual: luz e sombra, bem e mal etc. Nos próximos tempos e nas novas energias do planeta, efetivamente entraremos na trialidade: a capacidade simples de ver o que é dual e estar além.

Imagine o leitor que sua mão direita perceba a esquerda e resolva questionar o grau de importância de ambas. Imagine ainda que algum sistema de crença baseado no ego seja adicionado. Sob essa perspectiva, sua mão direita começará a querer provar que é melhor do que a esquerda, e, se a esquerda reconhecer a existência da direita, vai ter como recurso primário emocional uma reação de valorização de si mesma e de desqualificação da outra. E, assim sucessivamente, vai-se construindo uma relação de separatividade entre as mãos. De repente, você, com sua mente e seus olhos, observa as duas em crise e entende que isso é uma bobagem, pois uma é parte da outra, e ambas estão conectadas ao mesmo ser.

Esse é o modelo de migração da dualidade para a trialidade. Teremos, a cada dia, de ultrapassar uma visão, uma consciência de que aspectos duais ou polarizados são instrumentos da mesma fonte. Quando entrarmos nesse entendimento e nessa real visão, passaremos a mudar fortemente nossos sistemas de crenças e de julgamentos, e nos sentiremos totais. A liberdade brotará nos nossos corações e a fluidez do ser tomará conta do espírito, de forma a integrar por completo a existência manifestada de todas as formas.

A FORÇA DO CÍRCULO PARA SAIR DA ILUSÃO DA DUALIDADE

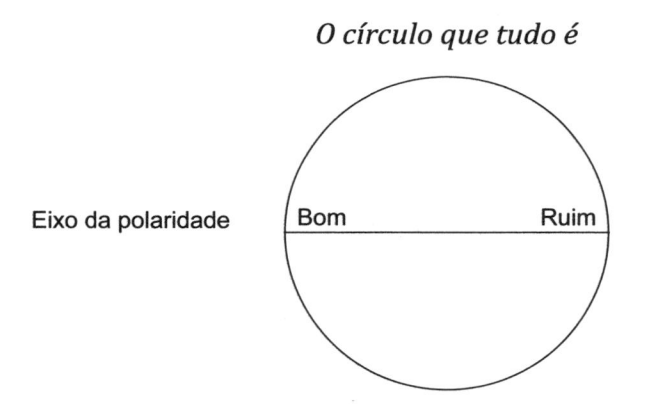

O círculo que tudo é

Eixo da polaridade | Bom | Ruim

O círculo que tudo é nos ajuda a sair de estados polarizados, que inevitavelmente nos levam ao julgamento e ao conflito. A polaridade sempre tende a nos levar ao conflito.

Observe o leitor a figura acima e veja que a polaridade é representada por uma linha. Essa linha representa o estado da visão humana. Se você está na linha, resta-lhe estar de um lado, no meio ou de outro. Mesmo estando no meio, você está na linha, e continuará a ver e a julgar cada lado que se manifesta.

No entanto, considere que essa linha está dentro de um círculo ou de uma bolha. A bolha, ou círculo, não tem início nem fim; não tem estado, pois tudo é. Sendo assim, o círculo não julga porque ele está em tudo e tudo está nele. Quando você muda o foco de pensamento da linha para o círculo, simplesmente modifica a maneira de se relacionar com os aspectos da polaridade e até tem uma possibilidade de mudar sua condição dual. Por essa razão, convido-o a fazer o exercício do círculo quando estiver em uma situação polarizada. Esteja no círculo e sem julgamentos. Os julgamentos são sempre os portais da polaridade.

ENXERGANDO ALÉM, NA COMPAIXÃO

Entendo compaixão como uma consciência profunda do sofrimento do outro, que pode estar aliada ou não ao desejo de aliviá-lo.

A compaixão, como nos foi ensinada, é uma emoção, um sentimento em movimento, ativo. Quando um sentimento está ativo, pode ser usado como uma ferramenta, seja de maneira positiva, seja negativa.

Se entendemos a condição do outro, estamos ativando a compaixão com base no discernimento. No entanto, se a compreendemos como um desejo de aliviar o outro, isso nos leva à piedade, como se fosse um sentimento de pesar, que incline alguém a ajudar ou a mostrar misericórdia. A misericórdia é, frequentemente, usada como motivo para resgatar o outro da dor. E nos foi ensinado que a misericórdia é uma coisa boa. Isso é julgamento, pois inferimos que o outro passa por um "mau" momento. O mau momento é um julgamento nosso. Assim, ativamos a polaridade.

Também com frequência não desejamos aliviar o outro de sentir algo, mas queremos abrandar nele algum sentimento que nos faz mal. Se for esse o entendimento da compaixão, isso nada mais é do que uma ferramenta de julgamento.

A compaixão em uma dimensão mais elevada pode ser entendida como uma consciência profunda do sofrimento do outro, sem a necessidade de aliviá-lo, sentindo total apreciação por seu valor; um estado de não julgamento e de discernimento. Se consideramos que tudo o que ocorre com alguém tem um propósito, saímos do comportamento social normótico e passamos a ver o sofrimento de alguém como algo que tem valor.

Para alcançarmos o nível do amor incondicional e da compaixão, é necessário mudar o nosso entendimento da compaixão, começando a ir além do que nos foi ensinado. Devemos nos dirigir para o estado de discernimento, deixando de lado a piedade.

A chave é entender que toda situação tem um valor e um aprendizado, e, se respeitamos isso, ascendemos à compaixão verdadeira e ao amor incondicional. Sair da polaridade do bom/mau, certo/errado, e ir para o entendimento de causa e efeito coloca-nos imediatamente no estado de "ver além".

ESTADOS DE MUDANÇA PARA UM MELHOR ALINHAMENTO DO SELF

Estado atual	Estado futuro
Busca da sobrevivência	Busca da unidade
Tempo linear	Tempo circular ou agora
Polaridade certo/errado	Causa e efeito
Trabalhar duro	Trabalhar apaixonadamente
Julgamento	Discernimento
Padrões repetitivos	Evolução
Hierarquia organizada	Conexões inconscientes
Relacionamento por falta	Alegria, paixão, abundância
Busca da outra metade	Busca de um inteiro

É dentro de sua própria escuridão, caro amigo, que você encontra o seu próprio dom. Se tiver a coragem de mergulhar nela, irá encontrar mais valor e beleza em si mesmo. Quanto mais sombra, mais luz; e, quanto mais luz, mais sombra.

O PRINCÍPIO DA COMPLEMENTARIDADE

A física quântica abriu uma vala enorme de trabalhos e descobertas ao descrever a natureza da matéria e do próprio ser. Ela traduz a dualidade em dois aspectos críticos: a afirmativa de que todo ser, no nível subatômico, pode ser igualmente entendido como "partículas" sólidas ou como "ondas", conforme as ondulações na superfície de um oceano.

O mais interessante nessa afirmativa é que nenhuma dessas descrições tem real valor quando vista separadamente. O entendimento quântico se dá quando tanto o aspecto "onda" como o aspecto "partícula" estão condensados. O princípio da complementaridade reza que um aspecto somente se justifica quando existe o "pacote" de ambos operando juntos.

Para a física quântica, tanto ondas como partículas são igualmente fundamentais. Elas são modos como a matéria se manifesta e, juntas, representam o que a matéria é.

O PRINCÍPIO DA INCERTEZA

Da mesma forma que temos o princípio da complementaridade, em que o aspecto partícula e o aspecto onda se complementam, temos também o princípio da incerteza.

Segundo esse princípio, tanto um aspecto como o outro se excluem. Mesmo que ambos sejam necessários à compreensão integral do ser, apenas um está disponível num determinado momento. Isso mostra que temos formas distintas de enxergar um mesmo sistema.

Uma nação, por exemplo, é dividida em Estados, cidades, bairros, casas, e, assim como percebemos o movimento do todo, temos as partículas que nos dão a complementaridade do todo – ao mesmo tempo que nos apresenta uma infinidade de possibilidades de enxergar a mesma nação, dependendo de para onde olhamos. Este é, muitas vezes, o motivo pelo qual não divisamos além, seja de situações, seja de estados, pessoas ou até nós mesmos.

Ver além requer a capacidade de entender primariamente o aspecto "partícula" de tudo e o aspecto "onda", movimento e velocidade. Vários tipos de coisas podem ser vistos mais claramente se observados sob várias perspectivas. Quem pode dizer qual é a correta?

A teoria do campo quântico nos mostra que o fluxo dinâmico repousa no coração da indeterminação, pois tudo está em movimento. As polaridades são apenas aspectos do todo e, quando em movimento, já se alteram ou se manifestam. Por isso, é desafiante, e até mesmo perigoso, articular conclusões fechadas em observações de estados, coisas e pessoas, pois estes são apenas aspectos manifestados. Fechar conclusões é fechar os olhos para a "onda" e não ver além.

O AMOR AMPLIA TUDO

Viver o amor. Viver por amor. Viver do amor. Viver amor. Com que aspecto você mais se identifica?

O amor traz o aspecto "unidade" do princípio da complementaridade e da incerteza. É um corredor quântico de entendimento em um nível mais elevado.

Certa vez, perguntaram a um mestre muito generoso, conhecido por seu amor incondicional:

– O que é o amor?

Ele sorriu serenamente e afirmou:

– É dar!

Veja o leitor quanto essas duas palavrinhas podem ser profundas: "É dar!". Ele conseguiu mostrar com duas palavras apenas que amor é doação. Mas doar o quê?

Muitos de nós vivemos em um mundo fragmentado e, às vezes, não nos sentimos inteiros, completos, amados, compreendidos e reconhecidos. Por isso, buscamos no outro exatamente aquilo de que sentimos falta para trazer a completude tão necessária às nossas aspirações de paz. Como podemos querer ser amados antes de o amor existir em nós mesmos?

A chave para a felicidade reside em cada indivíduo amar a si próprio e a tudo o que é. Todas as suas "partes" e os seus "movimentos". Reconheça tudo o que você é hoje.

O amor precisa ser vivido primeiro dentro de nós. É o estágio da perfeita harmonia. O dar ao outro é precedido pelo dar a nós mesmos. Precisamos experimentar o amor para poder dá-lo da melhor forma possível. Muitas pessoas vivem em função dos outros e se esquecem de que poderiam contribuir muito mais se também levassem em consideração elas próprias!

Amor não é prender, é libertar. Amor não é rotular, é aceitar as pessoas como elas são. Amor é desejar o melhor para a pessoa, e não a pessoa para si.

Um amigo separou-se da esposa, após anos de tentativas, por vê-la sempre triste e compartilhar a mesma sensação. Assim que se separou, ele me disse:

– Eu a amo tanto, que não a quero para mim assim. É como se eu tivesse um lindo pássaro cantador que não canta mais. Não vai ser prendendo-o que vou alimentar meu amor, mas sim soltando-o e vendo-o novamente cantar.

– Mas... e se ela não o quiser depois que estiver bem? – indaguei.

– Vou ficar feliz vendo-a bem.

– E você a ama? – insisti.

Então ouvi dele uma das coisas mais profundas e incompreensíveis:

– Quem ama quer o melhor para o outro, e não o outro para si. Se eu não for o melhor para ela, que assim seja, mas lutarei para ser. Porém, se mesmo assim não for, ficarei em paz por vê-la bem. Ninguém entenderá isso, mas isso é amor.

Isso me fez refletir muito. Pareceu ser como o meu amor por meu filho. Eu quero o melhor para ele, mas não o quero para mim. Meu filho é para o mundo e para ele mesmo. Eu assisto às suas conquistas e vibro com elas. Assisto aos seus sofrimentos e vejo que são o melhor para ele.

Veja, caro leitor, não estou dizendo que devemos largar as pessoas que amamos, mas fundamentalmente que o verdadeiro amor ocorre quando ajudamos as pessoas que amamos a serem felizes ou cumprirem suas missões! Viver o amor é dar sem querer receber!

Tudo é duplo. Tudo é triplo. Todo duplo é duplo. Todo triplo é duplo.

Menhenufis

Faça um pacto com você mesmo: veja além – tudo tem mais do que dois aspectos.

PACTO 10

VEJA ALÉM – TUDO TEM MAIS DO QUE DOIS ASPECTOS

CHAVES PARA TRANSCENDER A DUALIDADE

Passo 46: Lembre-se de que não existe certo ou errado.

Passo 47: Sua interpretação é que faz a experiência ser agradável ou não.

Passo 48: Lembre-se de que as pessoas estão, não são o que afirmam.

Passo 49: Lembre-se de que virtudes e desvirtudes estão no mesmo eixo.

Passo 50: Coloque-se no lugar que "tudo vê".

PACTO 11

VIVA PARA UM PROPÓSITO MAIOR DO QUE O SEU

Se quiser entender sobre coisas maiores, pergunte a uma criança e ficará surpreso com o que irá ouvir.
Louis Burlamaqui

Certa vez, perguntei a uma criança:

– O que é Deus?

Ela me disse sem hesitar:

– É Deusa.

– E o que é a Deusa? – provoquei.

Ela, novamente, sem hesitar, facilmente respondeu com um sorriso mestre nos lábios:

– É amor!

O que estamos fazendo neste mundo? Estamos aqui para nos divertir, enriquecer, ter prazer, ser felizes, evoluir? Talvez tudo isso, ou talvez o contrário, pois todas as pessoas têm um propósito neste mundo. E esse propósito não é igual, pois elas não são iguais, mesmo estando todas conectadas de alguma forma.

No entanto, embora tendo propósitos desiguais, por que estamos todos juntos, vivendo dramas coletivos? Porque existem propósitos além dos nossos próprios.

Muitos podem argumentar: "Eu já tenho meu destino traçado!". É comum as pessoas deixarem sua vida nas mãos do destino. Será que tudo já foi programado? Será que nossa vida é um rascunho de um desenho inacabado? Será que isso também pode ser uma desculpa para não assumirmos de vez a vida que queremos e precisamos ter?

Imagino que algumas coisas estão programadas, sim, mas ainda somos donos de nosso destino. Temos o livre-arbítrio. Podemos tomar o rumo que quisermos. Podemos mudar tudo em nossa trajetória com um simples "sim" ou um simples "não".

Todos nós temos uma ou, até mesmo, inúmeras missões a cumprir. Dizer "sim" ou "não" na hora certa pode nos colocar em direção à nossa missão mais facilmente. Pode nos fazer avançar um pouquinho mais no jogo da vida!

Muitas pessoas supõem que são, de alguma maneira, especiais porque têm faculdades psíquicas, intelectuais e dons ou porque apresentam algum propósito especial determinado por Deus. Isso é um equívoco. Todos nós temos desígnios maiores.

A informação maior em nossa vida não chega à mente imediatamente; ela vem por meio da mente maior, ou superior. É o estado intuitivo que a recebe e traduz para a mente consciente. Na psicologia, entende-se por subconsciente.

ESCOLHA E AJA

Como o mundo é um acervo infinito de possibilidades, muitas vezes nos sentimos impotentes para assumir nossa vida. Os caminhos são múltiplos, mas nossa vida é única. Escolhemos avançar ou não.

Outro dia, ao atravessar um sinal, vi um carro colidir com outro. Parei para ajudar e pude participar um pouco da cena. Ninguém se machucou, mas os envolvidos perderam um bom tempo naquela cena. Pensei comigo: será que isto foi programado? E se um deles tivesse demorado cinco segundos a mais para sair de casa? Obviamente, este acidente não teria acontecido. Então, foi destino!

Ora, se pensarmos assim, tudo está programado. Vamos imaginar que meu destino seja me casar. Resolvo, então, não sair de casa e limito a busca por alguém, pois, se sei que vou me casar, essa pessoa vai aparecer. Pensando desse jeito, não fazemos mais nada em nossa vida. Talvez por isso não tenhamos desenvolvido o dom da total previsão!

Voltando à cena do acidente, podemos entender que cada momento nosso influencia os subsequentes, queiramos ou não. Cada instante é ditado por nossa vontade. Se quisermos dormir um minuto a mais, esse minuto extra mudará toda a sequência de fatos daquele dia, as pessoas com quem iríamos cruzar, dentre outros eventos. Esse minuto adicional é uma decisão nossa. Mas baseada em quê? Baseada em nossos sentimentos e vontades, que estão ligados a uma sincronicidade universal. Ora, se este momento é uma decisão minha, eu tenho poder de influenciar minha vida a cada instante! Eu digo que sim! Todos nós temos o poder de mudar ou manter tudo a cada instante, mesmo dentro de uma cadeia de completa sincronicidade! A sincronicidade vai nos acompanhar para onde formos!

Você influencia seu destino a cada segundo em decorrência de cada escolha que faz. O seu destino é sua escolha.

Temos todo o poder para decidir. Onde estamos a cada dia é destino escolhido por nós mesmos – a escolha também é diária. Tudo está bem ao nosso alcance, nosso destino está em nossas mãos.

É importante que o leitor tenha consciência disso e observe sua vida a cada instante, pois assim poderá alinhar-se mais facilmente com seu propósito existencial maior. Se você não estiver alinhado com seu propósito maior, como conseguirá alinhar-se com um projeto ainda maior do que o seu? Alinhar-se com o propósito maior é ter informação, é ser um receptor de informações da vida.

Matéria é luz aprisionada. Luz é informação. Quanto mais você se permitir receber informações em todos os seus canais, mais libertará o seu potencial e encontrará o seu propósito maior, que estará completamente conectado com o propósito maior da humanidade e do planeta. Isso é iluminar-se. Seres iluminados são puros veículos de luz e informação. Liberto de seus cárceres mentais e emocionais construídos pelos modelos sociais e convencionais de um mundo dominado pelo medo, você poderá entender a que veio e viver sua vida com um propósito maior do que o seu. Viver para um objetivo mais elevado do que o seu é viver o altruísmo.

LIBERTANDO-SE DO EGOÍSMO

Diante da decepção ou de uma mudança radical que nos desagrada, é um desafio acreditar que exista um propósito maior.

Aceitar isso é uma das primeiras lições para viver as mudanças com dignidade. Quantas vezes não tentamos manipular o mundo para obter algo que queríamos e falhamos? Simplesmente aquele não era o momento certo, mesmo que não soubéssemos disso. Mais tarde, as mesmas portas que queríamos tão desesperadamente abrir à força escancaram-se para uma oportunidade inesperada, e nós as transpomos aparentemente sem nenhum esforço. Esse é o momento certo. Como um vaso de cerâmica que foi diversas vezes submetido ao fogo a fim de poder suportar a pressão daquilo que virá a ser, assim também nós somos moldados, sempre tendo em vista o futuro.

Somos impelidos a agir segundo um modelo de sobrevivência selvagem, em que temos de matar um leão a cada dia. Todos nós estamos cansados disso. Enquanto estivermos concentrados única e isoladamente em nossos próprios interesses e objetivos, conseguiremos alcançar resultados de forma fragmentada e teremos sempre aquela velha sensação de que falta alguma coisa para conquistar; um sentimento de vazio, mesmo com tantas posses, diversos bens e realizações.

Somos todos missionários, de uma forma ou de outra. Fomos feitos para servir. Porém, o mundo e a sociedade medrosa nos encorajam a lutar. Quem luta ataca. Quem ataca é atacado. Quem é atacado parte para a defesa. Estamos todos atacando e defendendo o tempo todo. Preservando ou protegendo nossos interesses, patrimônio, honra, ideias. Tolos acreditam nesse modelo de (sobre)viver. Tolos alimentam essa crença. Tolos transformam outros em tolos para sustentar essa crença. É hora de mudá-la. Lembro-me de que fui um desses tolos.

NÓS SOMOS O PROPÓSITO DE QUEM?

Essa é uma pergunta incômoda, porém pertinente para a questão do "propósito maior" a que nos referimos neste capítulo. Nossos cientistas revelaram que a Via Láctea tem mais de cem bilhões de sóis, e que o nosso sol é apenas um deles. Somente uma mente muito pequena, egoísta e egocêntrica poderia afirmar categoricamente que somos os únicos seres habitando este Universo.

Respeito quem argumenta: "Não vimos outros seres ainda". Mas dizer que não existem é acreditar ser o único propósito do Criador. Admitir a possibilidade de outras formas de vida, que talvez sejam incompreensíveis em nosso modelo de mundo, é um enorme passo para que vivamos conscientemente um propósito maior do que o nosso próprio. Somente conseguimos classificar o que pertence à nossa realidade material.

A partir do momento em que estivermos efetivamente conectados com nosso propósito de vida e percebermos como a humanidade, o planeta e o Universo estão conectados, entenderemos o motivo de viver para um propósito ainda maior do que o nosso.

Quando nos conscientizamos dessa conexão, tudo passa a ser um milagre e uma magia se acende em nossas vidas. Ao vivermos assim, tiramos proveito de tudo, de absolutamente tudo que ocorre, seja bom, seja ruim. Nós podemos acionar esse propósito maior se nos propusermos a ver cada situação como uma oportunidade.

Se ocorrer um infortúnio em sua vida, como um assalto, ou se alguém o agredir, procure agir como se estivesse recebendo uma dádiva, uma oportunidade única para o seu crescimento. Isso é enxergar um propósito maior do que o seu. Se todos pudessem adotar essa atitude e agir como se cada evento estivesse dedicado exclusivamente a seu aprendizado, crescimento e conscientização, é provável que conseguissem enxergar um propósito maior em tudo que existe, e o infortúnio seria encarado, na verdade, como uma réplica de si mesmo.

Você deve confiar também em sua criação. Não tenha medo dela. Acredite nela, mesmo que aparentemente lhe traga dor ou susto, pois sempre haverá crescimento. Sempre. Não coloque seus dramas debaixo do tapete, traga-os para fora, pois eles são bênçãos. Eles não são coisas horríveis que lhe ocorreram. É importante entender que seus dramas lhe darão bases para outras realizações. Transforme-os em lições de casa. Porém, se as lições não são aprendidas, elas permanecem ou retornam.

EXISTÊNCIA MAIOR, DEUS

Certa vez, li que a diferença entre o misticismo e a religião é que as religiões acreditam na experiência que os outros têm de Deus, enquanto misticismo é a crença na sua própria experiência com Deus.

Provocamos coletivamente uma crise planetária e não podemos nos dar o luxo de continuar assim por muito tempo. Estamos em época de escolhas profundas. Precisamos compreender que nosso destino é um só com todas as pessoas e coisas. Não somos apenas cocriadores uns em relação aos outros, mas também somos partícipes da energia divina ou Deus. A evolução nos obriga, pela vontade ou pela força, a aceitar isso.

Imagine o leitor que Deus ou o Divino dividiu-se em trilhões e trilhões de incontáveis espécies e seres – e uma dessas espécies é o ser humano. Ao fazer isso, passou a conhecer a si mesmo. Imagine ainda que você e eu somos parte dessa divindade e que, por meio dessa divisão, passamos a perceber importantes aspectos de nós mesmos. Cada minúscula célula é parte desse todo. Cada planeta, cada sol, cada sistema solar, cada galáxia e tudo o que existe é parte desse Deus ou força divina. Quando entendermos que somos um aspecto manifestado e que nossas experiências são todo o caminho de que precisamos para retornar ao entendimento de que a separação existe apenas em nossa mente, iremos nos realinhar com um propósito bem além dos nossos.

Assim como um ímã, somos impelidos para o nosso mundo, não importa o que tenhamos em nossa mente. A mente é muito mais do que um cérebro. Ela engloba intenções, pensamentos, ações, palavras, imagens, tudo harmoniosamente provido de energia. A mente acende e mantém o fogo da consciência.

Não estamos sós. Se estivermos centrados em nosso propósito superior, todas as portas irão se abrir para nós. O universo vai nos proporcionar ideias e assistência; as pessoas irão nos procurar oferecendo ajuda, dinheiro, conselhos, amor e apoio.

Certa vez, um repórter perguntou a Gandhi como ele conseguia reunir tantas pessoas:

– Eu não reuni ninguém, foram elas que vieram a mim. Afinal, temos uma missão. Tenho uma missão que vai além de mim mesmo!

Firme o compromisso de buscar agora o seu propósito superior em cada ação. Seja na abertura de uma loja, seja como porteiro de um prédio, como médico, político ou advogado. Tudo, absolutamente tudo, tem um propósito maior.

Conserve esse sonho relativo ao seu bem mais elevado e esteja pronto para as surpresas. Analise aquilo que você quer neste exato momento e pergunte-se: "Qual é a essência por trás disso?".

A FORÇA DA PAIXÃO COMO MOTOR DE ALGO MAIOR

Quantos de nós já vivemos paixões? Algumas delirantes, outras terríveis, outras memoráveis... Nada no mundo é movido sem paixão. Por mais que algumas pessoas não queiram mais se apaixonar, por medo das consequências, ela ainda pode bater à porta de qualquer um! Quando menos o sujeito esperar!

A paixão mexe com nossas estruturas, nos faz repensar a vida, move nossas energias. A paixão deve ser guiada para não se tornar guia. Se guiamos a paixão, experimentamos o sabor máximo da divindade.

Muitas pessoas que perderam as esperanças na vida, ou estão tristes e acomodadas com suas rotinas, precisam viver uma paixão. Não me remeto à paixão somente por outra pessoa, mas à paixão por algo, uma nova atividade, um novo projeto, uma nova busca. Paixão envolve o doar. Quando doamos, recebemos.

Muita gente tem medo de se apaixonar e sofrer quando se trata de uma relação a dois. É triste ver pessoas com condições de ser felizes abandonarem suas possibilidades de um destino maior pela covardia de se contentar com pouco em sua vida. Somos seres de luz, merecemos mais do que imaginamos. Mas somente seremos merecedores do que nos espera se tivermos capacidade e coragem para mudar e dizer "não" a quem ou a que, no fundo, não amamos.

O destino bate à nossa porta todo dia, apresentando mil possibilidades. Podemos vê-las ou não. Podemos querê-las ou não. Mas, com certeza, não poderemos culpar nossa vida – quando não é exatamente a que queríamos – se não temos a coragem de tomar decisões e assumir as rédeas.

Todo dia o indivíduo tem escolhas a fazer. Se você já se apaixonou por alguém, está na hora de se apaixonar de novo... Vocês dois. A paixão resgatada por ambos é duradoura. Agora, se está se relacionando com uma pessoa porque ela é apenas legal, lembre--se: não se contente com pouco, seja uma pessoa aberta e não se engane. A vida nos apresenta sempre, de forma sutil, o caminho para uma paixão.

Se o destino bater à sua porta e for verdadeiro, tenha em mente que nunca é cedo para se envolver e nunca é tarde para se apaixonar. Se você quer um lugar novo para viver, pergunte-se qual é a essência por trás desse desejo. O que realmente quer? Talvez seja paz, tranquilidade ou mais sol. Veja o que existe como um motivo maior, superior. Tudo se torna fluido quando está alinhado com um propósito maior. Muitas pessoas já descobriram isso e estão fazendo acontecer as coisas em sua vida e na dos outros.

Certa vez, uma pessoa me perguntou em um treinamento:

– O que mais o prejudica em sua vida hoje?

Perplexo com a pergunta, que me pegara de surpresa, refleti e respondi:

– Uma pessoa que não decide.

Todo dia, quando uma pessoa acorda, tem um mundo de decisões a tomar, um mundo de alternativas e um mundo de escolhas. A indecisão, em alguns momentos, é mais do que natural; no entanto, não tomar decisões é também uma decisão de deixar a vida assumir sua vida.

Ora, a vida é feita de escolhas. Recentemente, um amigo me perguntou qual o melhor caminho para tomar decisões certas. Disse-lhe que dependia de um conjunto de coisas.

Por exemplo, se vou comprar um carro e tenho 15 opções, qual é o método seguro para separar o que quero dos demais? Definir meus critérios de escolha. Se tenho definido que quero um carro com quatro portas, de cor clara, cujo preço não exceda os 20 mil reais etc., terei de imediato eliminado muitos desses carros. Da mesma forma, se uma pessoa está em dúvida a respeito daquela com quem quer se relacionar e tem opções, precisará definir seus critérios! Outro fator importante que influencia uma escolha é o sujeito estar centrado e equilibrado. Quando estamos em harmonia conosco, temos uma visão sempre mais clara e apurada. Pessoas que têm o hábito de meditar, orar ou relaxar são pessoas de mente limpa. Mente limpa enxerga e toma decisões.

Outro fator também muito importante é estarmos conectados com nosso coração. Aliás, nosso coração fala tudo. O problema é que nem sempre o escutamos ou, quando o fazemos, já é tarde. Ele fala sempre por meio do sutil.

A seguir, três fatores de alinhamento para o leitor fazer escolhas na vida:

- tenha uma mente limpa;
- saiba escutar seu coração;
- defina seus critérios.

Se temos esses três fatores bem trabalhados, provavelmente escolher caminhos e coisas na vida torna-se um fardo bem mais leve. São nossas escolhas que traçam nosso destino. Sempre digo que destino é a união da vontade divina com a divina vontade. A vida sempre se encarrega de apontar caminhos bons. Isso é vontade divina. Agora, temos que fazer nossas escolhas de forma centrada, com coração e critérios. Isso é divina vontade.

VOCÊ PODE FAZER QUALQUER COISA

Quero partilhar um relato muito interessante que li.

> Há muitos anos, meu pai recebeu o diagnóstico de uma doença cardíaca terminal. Ele se aposentou por inca-

pacidade permanente e não podia ter um emprego fixo. Ficou bem por um período, mas de repente teve um problema e precisou ser hospitalizado.

Como queria fazer algo para se manter ocupado, resolveu trabalhar como voluntário no hospital infantil local. Papai adorava crianças. Era a ocupação perfeita para ele. Acabou trabalhando no setor onde estavam crianças em estado crítico e terminal. Conversava e brincava com elas e faziam trabalhos manuais e artesanato. Às vezes, uma das crianças não resistia. Para confortar os familiares, papai lhes dizia que em breve estaria com seus filhos no Céu e cuidaria deles até sua chegada. Também perguntava ao pai ou à mãe se gostariam de mandar, por meio dele, uma mensagem para o filho.

As atitudes de meu pai pareciam ajudar as famílias a superar o sofrimento. Certa vez, uma menina de oito ou nove anos foi internada com uma doença rara que a paralisara do pescoço para baixo. Não sei o nome da doença ou qual o prognóstico, mas sei que tudo aquilo era muito triste para a garotinha. Ela não podia fazer nada, estava muito deprimida. Meu pai decidiu tentar ajudá-la.

Começou a visitá-la no quarto, levando tintas, pincéis e papel. Ele arrumava o papel num apoio, punha o pincel na boca e ela começava a pintar. Ela não usava as mãos de forma nenhuma. Somente a cabeça se mexia. Ele a visitava sempre que podia e pintava para ela. Durante o tempo todo dizia: "Olhe, você pode fazer qualquer coisa que sua mente quiser".

A menina começou então a pintar usando a boca, e ela e meu pai se tornaram amigos. Logo depois, a garotinha saiu do hospital porque os médicos acharam que nada mais poderiam fazer por ela. Meu pai também deixou um pouco o voluntariado no hospital infantil porque ficou doente. Algum tempo depois, ele se recuperou e voltou ao hospital para trabalhar no balcão de atendimento que ficava no hall de entrada. Um dia, as portas da frente se abriram. A menininha que estivera *paralisada entrou, mas, dessa vez, andando. Foi até meu pai e o abraçou bem forte. Ela lhe deu um desenho que fizera usando as mãos. Na parte de baixo estava escrito: "Muito obrigado por me ajudar a andar". Papai chorava sempre que nos contava essa história – e nós também. Ele dizia que, às vezes, o amor tem mais poder do que os médicos. Meu pai – que morreu apenas alguns meses depois que a menina lhe deu o desenho – amava cada criança naquele hospital.*

Tina Karratti

AS TRÊS INTENÇÕES PROFUNDAS DOS SERES HUMANOS

Nossa vida é um fluxo guiado ou não por nós, mas decididamente dirigido de alguma forma. Uma boa forma de o indivíduo se autoconhecer e às suas intenções é observar suas escolhas e decisões. Há mais revelado nelas sobre ele do que ele próprio pode imaginar. Nossas intenções têm sempre um fim. Basta alguém se perguntar: "Por que quero ou escolho isso?".

Se você tiver um número suficiente de "porquês", chegará às revelações sobre a sua natureza. Adianto-lhe, neste livro, algumas dessas descobertas.

O ser humano de uma forma geral, do mais evoluído ao que está iniciando o processo, do culto ao alienado – não importam os critérios de "categorização" –, passa ao longo da vida por, pelo menos, um dos três fluxos de intenções.

- Intenção de TODO PODER.
- Intenção de TODO SABER.
- Intenção de TODA PRESENÇA.

A intenção de todo poder é bem evidente quando uma pessoa vai ascendendo de posição, não importa a área de atuação. Quando alguém visa mais poder, no fundo, no fundo, intenciona todo poder, o poder do divino criador. Na verdade, é o que, se pudesse, gostaria de ter.

A intenção de todo saber pode ser percebida em "mestres" ou "doutores". O famoso escritor Will Durant certa vez disse que, quanto mais sabia, mais descobria quanto tinha de aprender. O que move essas pessoas? A intenção profunda do todo saber.

A intenção de toda presença pode ser percebida, por exemplo, naqueles seres que querem viver, aproveitar tudo o que podem como se só tivessem essa vida. Querem sentir-se, compreender o *self*, experimentar o profundo, ou ao menos o fútil, de forma abrangente. No fundo, essas pessoas intencionam toda presença.

Não existe nada de absolutamente errado em querer o *todo* ou *tudo*. O que precisamos entender é com que estamos conectados em nossas intenções para que exista um entendimento de nossos propósitos maiores.

As intenções e os propósitos maiores ajudam o indivíduo a se conectar consigo e superar barreiras que o impedem de fluir para onde ele deve ir. Portanto, caro leitor, não deixe que aquilo que você é ou tem hoje se interponha ao que poderá vir a ser ou ter. Faça suas escolhas! Faça um pacto com você mesmo: viva para um propósito maior do que o seu próprio.

PACTO 11

VIVA PARA UM PROPÓSITO MAIOR DO QUE O SEU

CHAVES PARA SE ALINHAR COM O UNIVERSO DE SUA EXISTÊNCIA

Passo 51: Coloque também a intuição em suas escolhas. Seu destino é sua escolha.

Passo 52: Luz é informação. Informe-se e faça isso aos outros.

Passo 53: Sonhe algo bom para o mundo e assuma seu papel.

Passo 54: Tenha mente limpa, escute seu coração e defina sempre seus critérios para fazer algo de forma altruísta.

Passo 55: Veja-se como um braço do Universo aqui e agora. Intencione todo poder, saber e presença.

PACTO 12

ENTENDA TUDO COMO UM CAMPO DE ENERGIA E FREQUÊNCIA; ASSIM AGIRÁ NA ORIGEM

Uma célula é uma memória que reuniu matéria à sua volta, formando uma estrutura específica.
Deepak Chopra

O QUE ESTÁ ENTRE

Se você, leitor, observar uma folha...

Veja a figura na página anterior. Observe as folhas. Isso é perceptível. O que peço que faça você consegue, ou seja, você identifica as folhas. Elas são concretas. Têm nome, identidade.

Agora, vamos para o campo da energia. Observe todo o espaço que não é folha. Registre isso. Codifique. Procure enxergar e perceber tudo. Fique atento para não identificar os espaços com outros objetos. O espaço é o espaço.

E o que significa esse espaço? Ele é tudo o que não é. Por isso, ele também é. E isso deve ser considerado, pois tudo o que não é torna-se campo de energia e tem manifestações sutis que, se não reconhecemos, não percebemos nem sentimos, então não vivemos integrados no "todo".

Por isso, amigo leitor, considere tudo o que está entre as coisas manifestadas. Não é necessário ver, mas, sobretudo, sentir por meio dos olhos e do coração.

TUDO É UM REFLEXO

Eckhart Tolle mencionou em seu livro *Um novo mundo – O despertar de uma nova consciência* que:

> *[...] todas as coisas são campos de energia vibratória num movimento incessante. A cadeira em que estamos sentados ou o livro que estamos lendo parecem sólidos e imóveis somente porque é assim que nossos sentidos percebem sua frequência vibratória. O que consideramos matéria física é energia vibratória numa determinada extensão de frequências. Os pensamentos são constituídos dessa mesma energia que vibra numa frequência superior à da matéria.*

Segundo o professor José Pedro Andreeta, a nossa realidade é constituída de repetições de padrões em processos cíclicos. Um átomo, segundo ele, nada mais é do que um minúsculo sistema solar.

Assim, podemos perceber que tudo no nosso Universo é um reflexo. O que está em cima ou numa escala maior reflete o que está embaixo ou em menor escala. Por isso, é importante entender o todo e as partes, pois tudo tem interface e se relaciona. E, com o nosso corpo, não é diferente.

A ciência sabe que nosso corpo é constituído por cerca de 10 (16) células e que cada célula tem em média 10 (12) átomos.

O nosso corpo físico é composto de alguns elementos químicos que, em média, apresentam-se com a seguinte composição:

Oxigênio: 65%
Carbono: 18,5%
Hidrogênio: 9,5%
Nitrogênio: 3,2%

Os sais representam 3,9% do peso do corpo.

Todos esses elementos trabalham explicitamente em colaboração um com o outro na manifestação do nosso corpo. Entender esse processo é fundamental para uma mente e um corpo fluidos. Isso dá uma dimensão maior e mais ampla de nosso corpo como um sistema inteligente e de funcionamento automático.

Tudo funciona e flui no corpo. Quando comemos ou respiramos, nosso corpo físico troca constantemente átomos com o meio. Cada vez que respiramos, permutamos átomos em enorme quantidade. Grande parte dos átomos que respiramos vai formar, por exemplo, as células do coração, do cérebro, dos neurônios e até mesmo o DNA. Quando expiramos, ocorre um processo inverso e colocamos para fora todos esses átomos. Os átomos que recebemos vieram do meio e de tudo que existe e sempre existiu.

Por isso, afirmo que tudo e todos estão completamente interligados. Não estamos separados de nada e de ninguém no tempo e no espaço. Essa compreensão é importante para nos percebermos como um campo de energia em constante reciclagem. Somos seres químicos e eletromagnéticos.

Segundo Deepak Chopra, trocamos 98% dos átomos do corpo em menos de um ano. Assim, entendo que eu, você e todos nós não somos os mesmos que éramos há um ano. Isso torna nossa percepção de nós mesmos fluida e livre.

OS QUATRO NÍVEIS DE CONSCIÊNCIA

Não é nenhuma novidade que o cérebro emite sinais elétricos. Isso ficou evidente nos estudos do alemão Hans Berger, quando ele conseguiu medir sinais com um eletroencefalógrafo.

Estudiosos afirmam que os sinais elétricos emitidos pelo cérebro são produzidos pelas 60 mil células piramidais. Essas células criam correntes de propagação, em que as polaridades variam de pessoa para pessoa, conforme sua relação emocional. Essas variações criam frequências que oscilam de 0 a 30 hertz.

Nós podemos classificar a existência de quatro grupos-chave de frequências de ondas cerebrais. Em cada um desses grupos, existem quatro estados de consciência que influenciam a emissão dessas frequências, conforme pode ser observado a seguir.

- Ondas beta – têm frequências entre 14 e 30 hertz. Colocam o cérebro em estado de alerta e apresentam uma faixa de percepção mais estreita. Estado desperto.
- Ondas alfa – ondas entre 8 e 13 hertz. Apresentam uma faixa larga de percepção do cérebro. Isso é comum quan-

do a mente está relaxada. Estado meditativo.
- Ondas teta – ondas entre 4 e 7 hertz. Assim como as ondas alfa, o nível de percepção é maior ainda, levando o cérebro a conectar-se com tudo à sua volta. Estado de transe.
- Ondas delta – ondas em torno de 3,5 hertz. Essas ondas são frequentes em estado de sono profundo, em que o cérebro sofre uma alteração completa de sua dinâmica. Iluminação.

Quando conseguimos alterar nossos níveis de consciência, acessamos campos de conhecimento que não eram percebidos antes. Na expansão da consciência, sentimos pessoas de forma profunda, conectamo-nos com animais, sentimos as plantas, adquirimos um autoentendimento sóbrio. Portanto, adquirir habilidades para expandir os níveis de consciência lhe dará uma obviedade natural em tudo o que lhe mostro neste capítulo.

CORPOS DE ENERGIA

Todo ser humano tem um campo eletromagnético. Nosso corpo é um sistema energético e oscilamos de acordo com uma frequência vibratória específica. O campo varia de acordo com nosso estado emocional e os tipos de pensamentos que temos. A toxicidade dos pensamentos negativos, de emoções negativas mal resolvidas, de alimentação inapropriada etc. afeta os campos energéticos do corpo. Quando estamos bem, o campo cresce e, quando estamos mal, o campo diminui. Por isso, é comum vermos uma pessoa chegar a um lugar e sentirmos sua presença ocupar tudo. Simplesmente é o campo de energia dela, então vasto, que está ocupando o espaço.

Todos nós queremos e desejamos viver sentimentos como alegria, harmonia, amor e entusiasmo em nossas vidas, além de ter nosso campo expandido. Passamos a apresentar essa qualidade a partir do momento em que vibramos nessa frequência. Isso é o que, efetivamente, precisa ser entendido pela humanidade.

Pessoas têm um campo amplo e forte porque estabeleceram pactos saudáveis fortes. Se alguém tem pactos saudáveis fortes, atrai positivo. Se alguém tem pactos fortes não saudáveis, atrai problemas. O segredo é ter um campo amplo e forte, com pactos saudáveis.

Um dos fatores que fazem com que campos de energia fiquem vazando é a relação que mantemos com as pendências. No mundo moderno, o que mais temos são listas de coisas para fazer. Essas listas vêm de demandas de trabalho, de amigos, de emergências, de família e, principalmente, de nossas necessidades e nossos anseios. Nem sempre conseguimos distinguir a dimensão exata da quantidade daquilo que temos para realizar. E, também, nem sempre conseguimos resolver tudo. Muitas coisas ficam pendentes. Quando temos muitas pendências, coisas não resolvidas ou pequenos incômodos, mais a energia vai vazando.

> Estudos mostram que muitos campos estão vazando energia. Foi descoberto que isso tem a ver com estados emocionais e psíquicos.

O ponto crítico para resolver isso é muito simples. Faça uma lista de todas as suas pendências hoje. A lista ajuda a ter uma dimensão do que estava na sua cabeça e no seu coração. Em seguida, estabeleça um prazo para resolvê-las. O objetivo é não deixar pendências. Se fizer isso, leitor, verá como tirar um peso das costas, e a sensação de leveza tomará seu coração.

CAMPOS INTERAGEM ENTRE SI

Dividindo o átomo, encontramos o próton; dividindo o próton, encontramos o *quark*; dividindo o *quark*, temos os filamentos de luz, a energia pura. Os neutrinos são partículas de luz que atravessam o vazio. O que os neutrinos fazem? Nós trocamos neutrinos todo o tempo. Os neutrinos leem minha energia (meus estados), são contaminados com minhas informações e informam, criando atração ou repulsa.

Campo, segundo Otto Scharmer, é o conjunto completo de conexões mutuamente interdependentes. Podemos ter a noção prática de campo ao tentarmos unir um imã. Percebemos claramente a existência de um campo de energia ali.

Existe a lei universal da correspondência que une os campos. Os campos de energia se atraem. Quanto mais refinadas são as energias e as frequências de nosso corpo e nossa mente, mais entramos em sintonia com essa energia. Amor atrai amor. Harmonia atrai harmonia. A frequência sempre será a mesma. Nós é que a habilitamos em nosso ser ou não.

Pensamentos, palavras e atos nada mais são do que manifestações de energia. Nossas emoções constituem o campo de força de nossa alma. Nós não seremos capazes de alinhar nossa personalidade com nossa alma se não nos conscientizarmos de nossas emoções. Nosso corpo é composto de átomos e células que mantêm essa energia e todas as informações.

- A gente não atrai o que deseja.
- A gente atrai o que está no campo de energia.
- Não se engana energia!
- O que transmite atrai!

Portanto, lembre-se de que todas as situações e pessoas que você atrai em sua vida constituem um campo vibracional similar ao seu de alguma forma.

A ILUSÃO DA SEPARAÇÃO

O mito de que somos separados e isolados, de que cada um de nós é um sistema fechado, está agora se dissolvendo na verdade maior de que cada um de nós tem influência sobre aquilo que vê.

Quando nascemos, vivenciamos a primeira experiência de separação: a separação do lar acolhedor e confortável do útero materno. Esse rompimento para o nascer transforma nossa primeira experiência em uma semente emocional da ilusão da separatividade. Acreditamos que estamos separados. Acreditamos que cada um é um. Tudo isso representa uma forte ilusão. Não estamos separados. Tudo, na verdade, está absolutamente conectado.

A ENERGIA DAS EMOÇÕES

As emoções são correntes de energia que atravessam nosso corpo. São mais do que efeitos de interações químicas e hormonais ou do excesso ou deficiência de neurotransmissores. São como um sistema de processamento de dados em contínuo movimento.

Da mesma forma que estamos processando o ar que entra e sai de nossos pulmões, o sangue que circula em nosso corpo, fazemos o mesmo com nossas emoções. Elas entram e saem. Elas são formas manifestadas de energia fluente. Estamos processando energia constantemente. A energia é processada a partir do topo da cabeça, passando pelo corpo e saindo. Esse sistema funciona como os sistemas respiratório, digestivo e circulatório. Conforme a energia é processada, as emoções podem se manifestar. No entanto, não fomos educados para aprender a processar a energia. Simplesmente o fazemos. A falta de treino e de consciência nos leva a gerar determinadas emoções que nos perturbam ou nos criam bem-estar. O sistema de energia de cada um é único. Alguns mais leves, outros mais agitados e turbulentos, enquanto outros bem fluidos. Mas as energias estão em movimento e interligadas em um circuito universal. Cada um de nós é uma peça importante no circuito universal.

Nós não podemos mudar a natureza da energia, mas podemos ter controle sobre a forma como a experimentamos, alterando seu processamento e afetando nossas emoções.

Aceitar que as emoções vêm do sistema de energia de cada pessoa, e não das relações humanas, é vital para o entendimento do indivíduo acerca do processo de como lidar consigo e do seu campo de emoções.

Cada emoção é um sinal de informação. Mesmo que não tenhamos consciência delas, continuarão a existir e a ser produzidas sucessivamente. Vivemos emoções o tempo todo, assim como respiramos. Isso significa que estamos com um fluxo constante de energia pulsando em nós. Lembre-se de que as emoções vêm do interior, não de fora.

O MUNDO QUÂNTICO

Stephano Sabetti, em seu livro *O princípio da totalidade*, afirmou que "campo é uma influência organizadora que mantém os padrões energéticos unidos".

Desde 1902, quando Werner Heisenberg desenvolveu o princípio da incerteza, a ciência vem demonstrando que não existe análise estritamente objetiva. Nossa observação de uma coisa é parte de sua realidade e da nossa também.

Um brilhante físico, John Wheeler, dizia que vivíamos segundo a velha ideia de que havia um Universo lá fora e que aqui estava o homem, como observador, seguramente protegido do Universo por uma chapa de vidro de seis polegadas. Agora aprendemos, com o mundo quântico, que até mesmo para observar um objeto tão minúsculo como o elétron, temos de quebrar a chapa de vidro; temos de alcançar lá dentro... Assim, a velha palavra *observador* simplesmente deve ser abolida dos livros e, em seu lugar, devemos introduzir o termo *participante*. Desse modo, chegamos a compreender que o Universo é um universo participativo.

Logicamente, a palavra "observador", quando usada em outros contextos, tem o seu valor, mas efetivamente é hora de nos tornarmos partícipes do que ocorre no mundo.

A física quântica nos ensina que nada existe isoladamente. Toda matéria, das partículas subatômicas às galáxias, é parte de uma complexa rede de relacionamentos dentro de um todo unificado.

O trabalho do físico David Bohm sobre partículas subatômicas e o potencial do *quantum* levou-o a concluir que, se os seres físicos parecem estar separados no espaço e no tempo, eles, na verdade, estão ligados ou unificados de forma implícita. Sob o indiscutível domínio das coisas ou dos acontecimentos isolados reside um domínio implícito da totalidade individual, e esse todo implícito conecta todas as coisas.

Um antigo ensinamento sânscrito relata que, no Paraíso do Indra, há uma rede de pérolas tecida de tal modo que, se olharmos para uma delas, veremos todas as outras refletidas nela. Da mesma maneira, cada objeto do mundo não é tão somente ele próprio, mas engloba todos os outros objetos e, na verdade, ele é todos os outros objetos. Hoje, reconhecemos a realidade da rede de Indra na espantosa multidimensionalidade do holograma.

A OMS – Organização Mundial da Saúde – espalhou DDT em algumas aldeias de Bornéu, numa tentativa de erradicar a malária. As aldeias eram formadas por casas enfileiradas, baixas, cobertas com palha, nas quais viviam aproximadamente 500 pessoas, num único núcleo, de modo que era uma coisa simples pulverizar as cabanas com o inseticida. O efeito no curto prazo foi uma queda significativa de incidência de malária. Porém, não levou muito tempo para que as aldeias fossem invadidas por ratos da floresta que carregavam pulgas no pelo. Era um problema de certo modo preocupante, já que as pulgas eram portadoras de praga.

Na verdade, muitos animais chegaram a morar nas cabanas cobertas com palha. Havia baratas, lagartixas e gatos. O DDT foi absorvido pelas baratas, que foram comidas pelas lagartixas. Estas, por sua vez, foram devoradas pelos gatos. Mas, como o DDT se torna cada vez mais concentrado à medida que se espalha pela cadeia alimentar, foram os gatos que acabaram morrendo envenenados pelo DDT. Com o desaparecimento dos gatos da aldeia, o caminho ficou livre para os ratos invasores. Para solucionar esse novo problema, a OMS teve de soltar gatos de paraquedas dentro das aldeias.

Mas esse não foi o único efeito colateral. Pequenas lagartixas também viviam nas cabanas. Quando o DDT causou a morte do organismo menor, que era predador dos insetos, o número de lagartixas aumentou com acentuada rapidez. Infelizmente, as lagartixas começaram a se alimentar das coberturas de palha. Não levou muito tempo até que aldeias inteiras viessem abaixo.

Toda vez que exterminamos alguma forma de vida, estamos mexendo em toda uma rede interligada de energia. Tudo está conectado com tudo. Estamos tão conectados uns com os outros que arrancar uma flor é, de certa forma, abalar uma estrela. O trabalho sistêmico de Bert Helinger sobre constelações familiares traz um esplêndido exemplo de cura sistêmica e tem provado, ao longo dos anos, que famílias e seus ancestrais estão todos conectados de alguma forma. Quando se cura um, curam-se vários.

O espaço entre todos os átomos em nosso corpo é um holograma dos espaços entre as estrelas, pois tudo está interligado, tudo num estado de constante prontidão. Isso porque esse espaço que interliga é o meio pelo qual todas as coisas vivas e vibrantes, de um planeta a um pensamento, enviam sua mensagem para todo o Universo.

Movendo-se para dentro, para os lados, para cima, para baixo e por todo o espaço, há um rio cósmico de energia que flui. Essa energia foi identificada e recebeu muitos nomes, em muitas línguas: *chi*, em chinês; *ki*, em japonês; *prana*, em sânscrito; *rauch*, em hebraico; e *mana*, em polinésio, só para mencionar alguns. No Ocidente, tem recebido nomes que soam muito como termos científicos: "força ódica" e "energia orgone", por exemplo. Na verdade, trata-se do mesmo estofo energizante da vida.

Esse rio de energia pode ser aproveitado para vivificar qualquer coisa em qualquer frequência. Ele pode dar vida a um pensamento, a um sentimento, a um corpo físico. Qualquer projeto ou intenção vai receber essa energia e, tão logo o projeto não se faça mais necessário, ou se for concretizado e desaparecer, a energia fluirá de volta para esse mesmo rio. Ela pode ser acumulada, aproveitada, adaptada, expandida ou reduzida, mas é indestrutível.

Se a concepção de um corpo, de um pensamento ou desejo for clara e não tiver bloqueios, essa energia vai fluir através dela sem empecilhos, e a intenção atingirá sua plena realização. Se, no entanto, a concepção for bloqueada, comprometida ou ambivalente, então a energia ampliará a distorção. Temos de decidir o que fazer com ela, pois, de toda maneira, somos responsáveis por aquilo que trazemos à vida por seu intermédio.

Qual é a força que canaliza a energia do rio para dentro das células das árvores, de outro ser vivente ou da estrutura molecular das rochas? O que é que nos motiva a existir primeiro? Uma semente? Um padrão? Na verdade, o que impulsiona tudo é a vontade de existir. Sem essa vontade, a energia é novamente liberada para o fluxo universal.

Experimente o leitor tirar a vontade de qualquer coisa e essa coisa morrerá. Isso vale tanto para uma emoção como para o corpo físico.

Conheci um casal de amigos bem idosos, ele com seus 88 anos e ela com 87, que sempre viveram um para o outro. Casados há 50 anos, eles construíram uma vida juntos. Ao completar 89, ele ficou muito doente e seu corpo faleceu em semanas. A tristeza da esposa era perceptível; no entanto, o que chamou atenção era que ela dizia, semanas depois, que não tinha mais vontade de viver. Passados 30 dias do falecimento do marido, ela faleceu dormindo em sua cama – perdera a vontade de viver. E perder a vontade é perder o princípio que rege a vida.

Se você decidir retirar a vontade do ódio, do ressentimento e do medo, essas emoções morrerão de morte natural por falta de energia para sustentá-las. Logicamente, existem muitas formas para tirar a vontade dessas emoções. A vontade também é uma escolha. Sua escolha é muito importante. E o ser humano faz escolhas todo o tempo.

Por isso, uma prática quântica fundamental é assumir totalmente a responsabilidade por suas vontades. Se não formos responsáveis por algo, não poderemos modificá-lo. Modificar algo é assumir o poder da vontade. O Universo opera por meio da vontade; assim você passa a ser um braço do Universo.

O dr. Viktor Frankl, psiquiatra e filósofo judeu, foi preso pelos nazistas durante a Segunda Guerra Mundial. Em seu livro *A busca do significado pelo homem*, ele observou que até mesmo na mais degradada de todas as condições possíveis, num campo de concentração nazista, desprovidos inclusive da dignidade mais simples, e incapazes de mudar os acontecimentos, os indivíduos ali aprisionados continuaram a fazer escolhas.

Suportando o insuportável, algumas pessoas ascenderam à nobreza, compartilhando as coisas com as outras e se interessando por elas, a ponto de chegarem a descobrir a paz interior em meio à loucura. Elas não conseguiam mudar os acontecimentos, mas podiam escolher o modo como reagiriam a eles. Muitas dessas pessoas tinham uma enorme vontade de viver. Várias delas sobreviveram ao campo de concentração.

A IMPORTÂNCIA DE MANTER SEU CAMPO DE ENERGIA LIMPO

Na civilização moderna, o hábito de tomar pelo menos um banho por dia é comum. Acumulamos sujeira de muitas formas, de sorte que manter o corpo físico limpo é uma recomendação saudável. Mas nossa sujeira não se localiza apenas na forma física. Somos seres de energia concentrada que acreditamos ser matéria. Na verdade, somos um monte de átomos. Existe mais espaço dentro de nós do que matéria. Por isso, querido leitor, está na hora de rever crenças sociais que nos impedem de limpar sentimentos e energias retidos em nossos corpos, nossas roupas, nos objetos que manipulamos e nos ambientes em que vivemos.

Tudo que experimentamos gera sentimento, que é energia. Os ambientes estão carregados de energia, seja ela saudável ou não. As energias se corporificam. Elas vão para o corpo de alguma forma, estabelecendo as bases para as doenças ou os estados emocionais. Essas energias, que são padrões vibratórios, acabam mantidas no corpo de cada indivíduo por uma decisão própria, pois podemos fazer limpezas assim como fazemos ao tomar um banho.

Com pouco mais de 80 anos, o professor Hermógenes, mestre consagrado da yoga, afirmou que não adoecia há anos. Perguntado sobre o motivo, ficou evidente que o trabalho era eliminar as energias nocivas alojadas no corpo.

OS QUATRO ELEMENTOS COMO FONTE DE LIMPEZA E VIDA

Sugerimos, na sequência, algumas chaves básicas para manter seu campo de energia limpo pelos elementos da natureza: água, terra, fogo e ar.

Fogo
O fogo é um elemento que limpa os centros de energia de seu corpo, os chacras. Pessoas que têm o hábito de fazer uma fogueira, acender uma lareira ou, mesmo, usar uma vela diariamente, alcançam vida longa e limpa. Tenha o hábito de ficar pelo menos 15 minutos diante do fogo por dia. Somente ficando de frente, o processo de limpeza já ocorre.

Água
A água é um condutor natural eletromagnético. Use a água fria, ao final do banho, para limpar o corpo e fechar seus campos de energia. No dia a dia, estar protegido de energias intrusas facilita a pro-

teção energética pessoal. Outra ação que pode ser posta em prática é um "escalda-pés", em que você coloca água quente (que não chegue a queimar a pele) num recipiente até a altura do tornozelo, acrescenta sal grosso e mantém os dois pés ali dentro por dez minutos. Essa prática descarrega o lixo energético do dia.

Terra

A terra tem muitos aspectos mágicos. Ao colocar os pés na terra, sem calçados, há uma descarga de energia e simultânea troca com a Mãe Natureza. Muitas pessoas se sentem leves após andar com os pés descalços na terra. Para quem mora em cidades litorâneas, a areia e o mar têm efeitos descarregantes excepcionais. Outra ação usando a terra é mexer com plantas. O simples fato de interagir é quase como um bálsamo. As plantas – quem cuida delas sabe do que estou falando – interagem, conversam e ajudam a nos limpar, fazendo o mesmo com os espaços físicos em que se localizam. Em muitos livros, você encontrará os efeitos de determinadas plantas em ambientes. Recomendo que pesquise, pois elas têm poderes medicinais energéticos.

Ar

O ar é um dos mais poderosos elementos de limpeza energética desde que tenhamos disciplina e técnica em usá-lo. A chave principal é a respiração, algo que menciono com frequência neste livro. Quando usamos a respiração consciente e direcionada, fazemos uma limpeza completa do corpo. Quando inspiramos, trazemos ar e, junto com ele, vem energia limpa de fora. Quando expiramos, temos condição de direcionar a energia que entrou para alguma área do corpo enquanto o ar sai. Essa técnica que ensino, além de outras, em meus programas de imersão é simples e muito eficaz.

Tudo que tem vida e é animado traz fluxo energético. Tudo aquilo que não está em movimento é energia parada. Energia parada é densa e morta. Por isso, recomendo que abra seu armário e veja as roupas que tem. Fique apenas com as peças que realmente você tem prazer de usar. Dê as que não usa. Quando faz isso, traz fluxo e leveza ao seu cotidiano. O mesmo você pode fazer para todas as peças, utensílios e objetos em sua casa. Apenas fique com coisas "vivas". Se você tem aquele aparelho de jantar que usa uma vez ao ano, passe a usá-lo com mais frequência. Dê vida a ele. A energia se transforma.

De forma igual se dá no mundo digital. Deixe nos seus arquivos de computador somente o que é útil. Cuidado para não ficar guardando lixo informacional. Esses arquivos, quando mantidos, criam campos de energia de alguma forma. Esse raciocínio prevalece para tudo em sua vida.

> Simplifique. Só deixe vida em sua vida.
> Isso é agir na origem de tudo.

ALINHE-SE COM AS SETE DIREÇÕES

Não nos basta obter o estado de alinhamento. O importante é nos manter alinhados. O que significa "estar alinhado"? O nosso Universo é toda uma rede configurada de forma completamente alinhada. Estar alinhado é estar em perfeita harmonia com o Universo, do qual somos uma poeirinha. Se a poeirinha fizer o favor de estar no lugar dela, vibrando junto com toda a valsa galáctica, mais fácil fica. Então, como podemos nos manter alinhados?

Na condição gravitacional em que nos encontramos, estamos em nosso eixo no momento em que também reconhecemos e mentalmente nos conectamos com as sete direções.

Quando estamos em uma viagem ou buscando uma direção, precisamos de uma bússola. Que tal, caro leitor, você se considerar uma bússola a partir de fora? Existem sete referências de fora que trazem aspectos para nós. São elas:

1. Norte
2. Sul
3. Leste
4. Oeste
5. Acima – céu
6. Abaixo – terra
7. Centro (coração) – eu sou, centro galáctico

Simplesmente quando nos conectamos com nosso coração e nossa mente em cada direção, trazemos qualidades e aspectos de aprendizagem para nossa presença e para tudo que somos hoje.

Práticas de alinhamento com as sete direções eram feitas por povos muito antigos, com rara sabedoria. Essas práticas se perderam ao longo dos anos e são vistas como algo sem valor. Pessoas conectadas e alinhadas, quando exercitam as sete direções, têm mudanças significativas ou recebem uma caixa de presentes do Universo em seus aspectos mais sutis. Dizem que, se fizermos essas práticas por seis meses, mudaremos completamente nossa forma de lidar com a vida. Abre-se uma multivisão em nós e adquirimos mais sabedoria e compaixão.

As práticas são de natureza simples e se traduzem de forma básica nos itens seguintes.

1. Encontre um espaço ao ar livre que tenha a natureza próxima de preferência. Isso deve ser feito sempre no começo da manhã.
2. Concentre-se em respirar de forma consciente.

3. Tenha um chocalho em mãos.
4. Direcione-se para o leste. Faça uma saudação mental e física, balançando seu chocalho nessa direção. Ao balançá-lo, alguns pontos são importantes: toda vez que jogar o chocalho para frente, você estará ativando algo nesta direção e toda vez que fizer o movimento para trás, voltado ao seu corpo, você integra o que foi ativado. Isto dura alguns minutos. Pode ser curto, mas a duração vai depender de sua sensação.
5. Às vezes, pode haver a necessidade de dar pequenas batinhas do chocalho na região do chacra cardíaco para conectar ainda mais seu corpo.
6. Faça o mesmo com as direções Sul, Oeste, Norte, acima (superior), abaixo (inferior) e centro (eu, a galáxia).
7. Após feita a saudação, que normalmente dura 20 minutos, respire, integre e siga o seu dia.

Praticar as sete direções é uma maneira de estar alinhado com o Universo e com tudo que está à sua volta, neste momento de sua vida.

Existe uma oração linda, feita pelo povo maia, que saúda e reverencia as sete direções. Compartilho-a com você.

ORAÇÃO MAIA DAS SETE DIREÇÕES

Desde a Casa Leste da Luz
Que a sabedoria se abra em aurora sobre nós
Para que vejamos as coisas com claridade
Desde a Casa Norte da Noite
Que a sabedoria amadureça entre nós
Para que conheçamos tudo desde dentro
Desde a Casa Oeste da Transformação
Que a sabedoria se transforme em ação correta
Para que façamos o que tenha de ser feito

Desde a Casa Sul do Sol Eterno
Que a ação correta nos dê a colheita
Para que desfrutemos os frutos do ser planetário
Desde a Casa Superior do Paraíso
Onde se reúnem o povo das estrelas e os antepassados
Que suas bênçãos cheguem até nós agora
Desde a Casa Interior da Terra
Que o pulsar do coração de cristal do planeta
Nos abençoe com suas harmonias
Para que acabemos com as guerras
Desde a Fonte Central da Galáxia
Que está em todas as partes ao mesmo tempo
Que tudo se reconheça como luz e amor mútuo
Ah Yum Hunab Ku Evam Maya E Ma Ho!
("Salve a Harmonia da Mente e da Natureza! A cultura galáctica vem em paz")

PACTO 12

ENTENDA TUDO COMO UM CAMPO DE ENERGIA E FREQUÊNCIA; ASSIM AGIRÁ NA ORIGEM

CHAVES PARA SAIR DA ILUSÃO DA SEPARAÇÃO

Passo 56: Perceba que todos os seres vivos são campos de energia e se comunicam.

Passo 57: Alinhe-se com as sete direções da Terra.

Passo 58: Concentre-se em viver os quatro elementos.

Passo 59: Mantenha seu campo de energia limpo.

Passo 60: Abra-se para o corpóreo e o incorpóreo da vida e aprenda.

PARTE VII

Fluidez para sua saúde

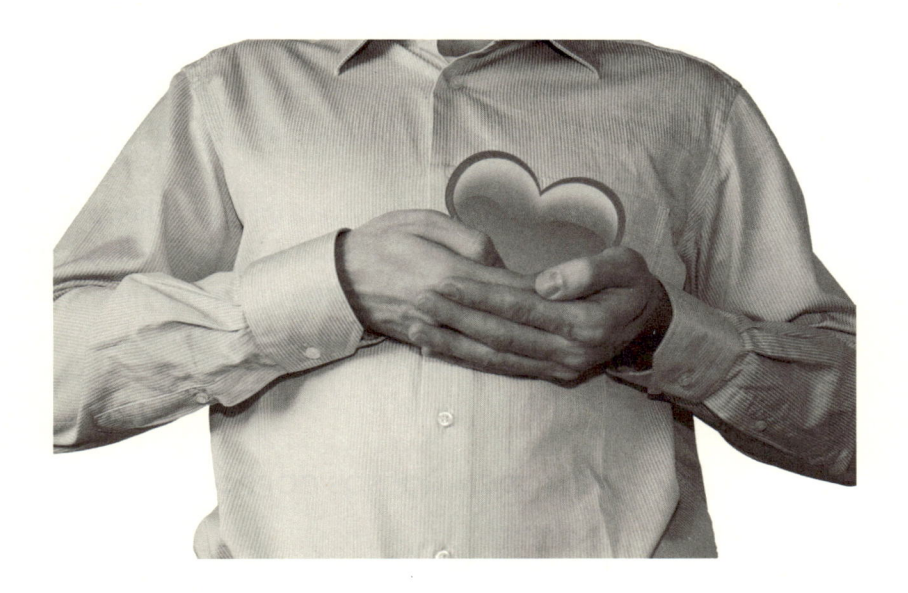

ÂNSIA DE VIVER E ÂNSIA DE MORRER

Para viver em estado de fluidez, precisamos entender que cuidar do corpo é um sinal evidente de amor-próprio. Seu templo sagrado, sua casa, que você leva para onde vai, é o seu corpo. A maneira como cuida dele diz se você tem ânsia de viver ou ânsia de morrer.

Muitas pessoas dizem que querem viver, mas suas ações e falas não mostram isso. Vejamos, por exemplo: quantas pessoas se preocupam em ter um jazigo e nem se ocupam do que comem todos os dias? É um sinal de que esperam a morte. Não digo que não devemos deixar as coisas prontas ou facilitar os desembaraços para os outros que ficam, mas o leitor já percebeu quantas pessoas, no fundo, estão esperando, em seu íntimo, por isso? Enquanto vivermos, em nosso âmago, com uma ânsia de morrer, não colocaremos vida dentro de nossos corpos.

Pessoas que têm ânsia de viver simplesmente não planejam sua morte, mas, sobretudo, como vão viver mais e como podem, vivendo mais, viver melhor. O grande segredo de uma vida fluida é ter qualidade com mais idade.

A cada ano que passa, o ser humano viverá mais e melhor, mas isso dependerá diretamente do que ele coloca para dentro de seu corpo. Por isso, ofereço-lhe algumas dicas cotidianas para transformar seu corpo em um templo fluido e sagrado de longevidade.

OS ALIMENTOS EM NOSSOS CORPOS

Os alimentos são geralmente classificados como ácidos ou alcalinos, de acordo com o resíduo que deixam no corpo humano depois de terem sido metabolizados. Normalmente, os pratos e as refeições diárias das pessoas têm uma natureza acidificante. Essa natureza de hábito diário pode trazer problemas de saúde de diversas formas, pois a doença também se manifesta pelo desvio do ácido básico.

Segundo especialistas, o equilíbrio ácido-alcalino é essencial para o correto funcionamento dos organismos vivos. A alcalinidade/acidez do corpo é medida pelo pH (potencial de hidrogênio), que é representado numa escala de 0 a 14: de 0 a 6,99, o pH é ácido; 7 = pH neutro; e de 7 a 14, o pH é alcalino. O pH do sangue é 7,4 e precisa ser mantido assim para preservar a nossa vida.

Quando não temos um corpo equilibrado na relação entre acidez e alcalinidade, levamos disfunções para o sangue e os tecidos do corpo. As doenças são consequências disso.

Vejamos alguns sintomas do excesso de acidez:

- baixa energia, cansaço;
- excesso de produção de muco (catarro), congestão nasal, resfriados frequentes, gripes e infecções;
- estresse e tensão, ansiedade;
- unhas fracas, cabelo seco, pele seca;
- formação de cistos, ovários policísticos, cistos mamários benignos, dores de cabeça, dores articulares, artrite, neurite, dores musculares, câimbras, gastrite.

Quando temos muita acidez, trazemos muito esforço para dentro do nosso organismo. O esforço já é uma luta interna. Com luta, as coisas não fluem. É fundamental que façamos nosso organismo fluir e, para equilibrá-lo, precisamos comer diariamente 80% de alimentos alcalinos e 20% de alimentos acidificantes. Isso influencia diretamente a necessidade de o indivíduo ter um sangue 80% alcalino. Além disso, nosso estômago tem de ser ácido para digerir as proteínas. O intestino delgado precisa ser alcalino para que seu processo digestivo possa ocorrer.

Pessoas ácidas são regidas por corpos ácidos. Se você se irrita facilmente e é ácido nas relações, observe sua comida! Isso não é apenas uma questão do pH do alimento, mas do pH das cinzas do alimento após ele ter sido metabolizado.

Em síntese: a acidez leva à dor, à doença e à morte enquanto a alcalinidade leva à fluidez, à alegria, à leveza e à longevidade.

O QUE VOCÊ DEVERIA SABER SOBRE A ÁGUA

Como seres-água e tendo nossos corpos formados basicamente por essa preciosa substância, precisamos perceber que tipo de água estamos consumindo.

A água alcalina também tem papel fundamental para manter o equilíbrio ácido-alcalino. Ela contém milhões de antioxidantes, que hidratam o corpo, além de lhe fornecer cálcio e oxigênio, ajudando a eliminar toxinas perigosas e resíduos.

O que recomendo é a compra de água alcalina com pH acima de 7,5 e que contenha propriedades antioxidantes. A água alcalina ionizada é reconhecida em países asiáticos por seu fator terapêutico há mais de 20 anos. Ela pode ajudar o corpo a fluir em suas funções, mantendo um padrão vibracional elevado e influenciando fortemente seus estados emocionais de forma muito positiva, além de ser uma rica fonte de minerais alcalinos, como cálcio, magnésio e potássio.

O líquido primordial de nosso organismo é o sangue e, com a água alcalina, ele pode fluir mais facilmente para qualquer parte de nosso corpo. Deixar o sangue fluir representa dar fluxo e vida ao corpo, além de contribuir para nossa saúde emocional.

Então, amigo leitor, desejo que flua em todos os aspectos de sua vida física, mental, emocional e energética. Divirta-se, pois o Universo é uma grande festa.

Assim é.

Com amor,
Louis

BIBLIOGRAFIA RECOMENDADA

BAILEY, Alice. *A consciência do átomo*. São Paulo: Conhecimento, 2007.

BOHM, David. *Wholeness and the implicate order*. London: Routledge & Kegan Paul, 1980. [*Totalidade e a ordem implicada*. São Paulo: Madras, 2008.]

BRADEN, Gregg. *A matriz divina:* uma ponte entre tempo, espaço, milagres e fé. São Paulo: Cultrix, 2007.

CAPRA, Fritjof. *O ponto de mutação*. São Paulo: Cultrix, 1987.

CREMA, Roberto. *Saúde e plenitude:* um caminho para o ser. São Paulo: Summus, 1995.

DAHLKE, Rüdiger. *A doença como linguagem da alma:* os sintomas como oportunidades de desenvolvimento. São Paulo: Pensamento/Cultrix, 2000.

EVERETT, Julianne. *Iniciação do coração:* preparação para uma ascensão consciente. São Paulo: Pensamento, 1994.

GOSWAMI, Amit. *A física da alma*. São Paulo: Aleph, 2006.

GRINBERG-ZYLBERBAUM, Jacobo. *La luz angelmática*. México, DF: Zeta, 1983.

GRINBERG-ZYLBERBAUM, Jacobo; DELAFLOR, Manuel; SANCHEZ-ARELLANO, María Esther; GUEVARA, Miguel Angel & PÉREZ, Martha. Human communication and the electrophysiological activity of the brain. *Subtle Energies & Energy Medicine Journal*, v. 3, n. 3, p. 25-43, Arvada, 1993.

GRISCOM, Chris. *Corpos da alma*. São Paulo: Mandarim, 1997.

GROF, Stanislav. *A aventura da autodescoberta*. São Paulo: Summus, 1997.

_____. *A mente holotrópica*. Rio de Janeiro: Rocco, 1992.

HENDERSON, Hazel. *Construindo um mundo onde todos ganhem:* a vida depois da guerra da economia global. São Paulo: Cultrix/Amana-Key, 1996.

HURTAK, James J. & TARG, Russell. *O fim do sofrimento:* vivendo sem medo em tempos difíceis. São Paulo: Ícone, 2009.

KAFATOS, Menas & KAFATOU, Thalia. *Consciência e cosmos*. Brasília, DF: Teosófica, 1994.

KRISHNAMURTI, Jiddu. *Sobre a aprendizagem e o conhecimento*. São Paulo: Cultrix, 1994.

LASZLO, Ervin. *A ciência e o campo akáshico:* uma teoria integral de tudo. São Paulo: Cultrix, 2004.

LELOUP, Jean-Yves. *Cuidar do ser:* Filon e os terapeutas de Alexandria. 12. ed. Petrópolis, RJ: Vozes, 2009.

LEVINE, Peter & FREDERICK, Ann. *O despertar do tigre:* curando o trauma. 3. ed. São Paulo: Summus, 1999.

MATURANA, Humberto. Autopoiesis. *In*: ZELENÝ, Milan. *Autopoiesis:* a theory of living organization. Amsterdam: Elsevier/North Holland, 1981.

McGREGOR, Douglas. *O lado humano da empresa*. 3. ed. São Paulo: Martins Fontes, 1999.

OSHO. *Antes que você morra*. 3. ed. São Paulo: Madras, 1996.

PIERRAKOS, Eva & THESENGA, Donovan. *Não temas o mal:* o método Pathwork para a transformação do eu inferior. São Paulo: Cultrix, 1995.

PIERRAKOS, John C. *Energética da essência*. São Paulo: Pensamento, 1990.

Pribram, Karl H. *Brain and perception:* holonomy and structure in figural processing. Hilsdale, NJ: Lawrence Erlbaum Associates, 1991.

Prigogine, Ilya. *As leis do caos.* São Paulo: Unesp, 2002.

Ruiz, Don Miguel. *Los cuatro acuerdos:* una guia practica para la libertad personal. 13. ed. Barcelona: Urano, 1997.

Senge, Peter; Jaworski, Joseph; Scharmer, C. Otto & Flowers, Betty Sue. *Presença:* propósito humano e o campo do futuro. São Paulo: Cultrix, 2007.

Sheldrake, Rupert. *A sensação de estar sendo observado.* São Paulo: Pensamento, 2003.

Tolle, Eckhart. *Um novo mundo – O despertar de uma nova consciência.* Rio de Janeiro: Sextante, 2007.

Trismegistos, Hermes. *Corpus hermeticum:* discurso de iniciação – A tábua de esmeralda. 5. ed. São Paulo: Hemus, 2001.

Watts, Alan W. *Psicoterapia oriental e ocidental.* Rio de Janeiro: Record, 1972.

Wilber, Ken. *Psicologia integral:* consciência, espírito, psicologia, terapia. São Paulo: Cultrix, 2000.

_____. *Uma breve história do universo:* de Buda a Freud. Religião e psicologia unidas pela primeira vez. 2. ed. Rio de Janeiro: Nova Era, 2004.

Yogananda, Paramahansa. *Como ser feliz o tempo todo.* São Paulo: Pensamento, 2006.

Zohar, Dana. *Sociedade quântica:* a promessa revolucionária de uma liberdade verdadeira. Rio de Janeiro: Best Seller, 1993.

CRÉDITOS DAS ILUSTRAÇÕES

capa: ooyoo (http://www.istockphoto.com/user_view.php?id=993404)

p. 25: Abdullah Al-Twailee (http://www.sxc.hu/profile/atwailee)

p. 33: bizior photography - www.bizior.com (http://www.sxc.hu/profile/bizior)

p. 61: Sanja Gjenero (http://www.sxc.hu/profile/lusi)

p. 79: Sigurd Decroos (http://www.sxc.hu/profile/cobrasoft)

p. 97: Carla Stichelbaut (http://www.sxc.hu/profi le/ChIandra4U)

p. 120: Rene Asmussen (http://www.sxc.hu/profile/ross666)

p. 134: Mateusz Stachowski (http://www.sxc.hu/profile/Mattox)

p. 157: Sanja Gjenero (http://www.sxc.hu/profile/lusi)

p. 173: Pop Catalin (http://www.sxc.hu/profile/catalin82)

p. 193: Boris Peterka (http://www.sxc.hu/profile/borissey)

p. 207: Martin Walls (http://www.sxc.hu/profile/matchstick)

p. 225: Muris Kuloglija Kula (http://www.sxc.hu/profile/Rissmu)

p. 242: Gabriel Pico (http://www.sxc.hu/profile/al3xand3r)

p. 260: Bill Davenport (http://www.sxc.hu/profile/lumix2004)

p. 275: Gerrit Schneider (http://www.sxc.hu/profile/gerard79) (http://www.digital-delight.ch/)

p. 276: Makio Kusahara (http://www.sxc.hu/profile/hirekatsu)

p. 299: bizior photography - www.bizior.com (http://www.sxc.hu/profile/bizior)

AGRADECIMENTOS

Esta obra é uma homenagem e uma reverência ao feminino. Honro todas as mulheres existentes neste planeta.

LEIA TAMBÉM

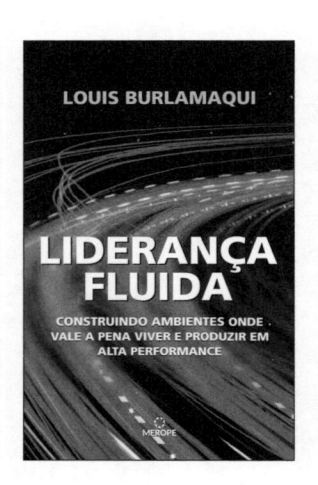

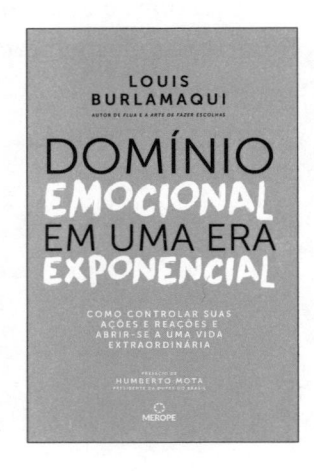

LOUIS BURLAMAQUI
AUTOR DE DOMÍNIO EMOCIONAL EM UMA ERA EXPONENCIAL E FLUA

A ARTE DE FAZER ESCOLHAS

Insights e contos baseados em princípios quânticos para manifestar o seu poder pessoal

MEROPE

LOUIS BURLAMAQUI
AUTOR DE FLUA E A ARTE DE FAZER ESCOLHAS

DOMÍNIO EMOCIONAL EM UMA ERA EXPONENCIAL

COMO CONTROLAR SUAS AÇÕES E REAÇÕES E ABRIR-SE A UMA VIDA EXTRAORDINÁRIA

PREFÁCIO DE
HUMBERTO MOTA
PRESIDENTE DA BUPRO DO BRASIL

MEROPE

LOUIS BURLAMAQUI

LIDERANÇA FLUIDA

CONSTRUINDO AMBIENTES ONDE VALE A PENA VIVER E PRODUZIR EM ALTA PERFORMANCE

MEROPE

LOUIS BURLAMAQUI

A COR DA CULTURA ORGANIZACIONAL

A HISTÓRIA DE UMA FANTÁSTICA JORNADA DE TRANSFORMAÇÃO HUMANA E EMPRESARIAL

MEROPE

VIVENCIE O FLUA

Louis conduz imersões do FLUA, com grupos pequenos, para exercitar e aprender métodos de mapeamento de padrões e transformação pessoal. Mais de 1.000 pessoas de diversos países já participaram destas experiencias.

Saiba mais sobre imersões, consultoria, treinamentos e palestras nos sites abaixo:

www.louisburlamaqui.com.br
www.jazzer.com.br
www.taigeta.com.br
www.cursoflua.com.br

TIPOLOGIA:	Cambria [texto]
	Museo [entretítulos]
PAPEL:	Off-white 80 g/m² [miolo]
	Cartão 300 g/m² [capa]
IMPRESSÃO:	Formato Artes Gráficas
1ª EDIÇÃO:	junho de 2018
3ª REIMPRESSÃO:	janeiro de 2022